**Bula para
uma vida
inadequada**

Bula para uma vida inadequada

Yuri Al'Hanati

PORTO ALEGRE · SÃO PAULO · 2019

Copyright © 2019 Yuri Al'Hanati

CONSELHO EDITORIAL Gustavo Faraon e Rodrigo Rosp
CAPA E PROJETO GRÁFICO Luísa Zardo
REVISÃO Fernanda Lisbôa e Rodrigo Rosp
FOTO DO AUTOR Rafael de Andrade

Dados Internacionais de Catalogação na Publicação (CIP)

A316b   Al'Hanati, Yuri
           Bula para uma vida inadequada / Yuri Al'Hanati — Porto Alegre : Dublinense, 2019.
           160 p. ; 21 cm.

           ISBN: 978-85-8318-119-4

           1. Literatura Brasileira. 2. Crônicas Brasileiras. I. Título.

                                            CDD 869.987

Catalogação na fonte: Ginamara de Oliveira Lima (CRB 10/1204)

Todos os direitos desta edição reservados à Editora Dublinense Ltda.

EDITORIAL
Av. Augusto Meyer, 163 sala 605
Auxiliadora — Porto Alegre — RS
contato@dublinense.com.br

COMERCIAL
(11) 4329-2676
(51) 3024-0787
comercial@dublinense.com.br

Onde quer que se encontrem
membros do gênero humano, eles
sempre mostrarão traços de uma essência
condenada a um afã surrealista.
Quem sai à procura de homens
vai encontrar acrobatas.

- Peter Sloterdijk

Nada ao redor
Luís Henrique Pellanda

É sempre interessante observar os primeiros arrancos de um cronista. O modo como explora seus temas de predileção, sua biografia e seu espaço geográfico, ainda experimentando a qualidade dos terrenos por onde se aventura. O jovem cronista é um escritor à caça de seus leitores, buscando uma posição que lhe seja mais favorável, ou menos exposta. Um escritor que se move e se atocaia, que embosca e atira, e então se move de novo. Porque, sim, é importante saber se posicionar entre seus pares. O Brasil tem uma longa história no gênero, e a fila da tradição literária, assim como cada cronista, individualmente, precisa se manter em movimento.

Yuri Al'Hanati, a julgar por este seu livro de estreia, parece já ter escolhido seu figurino e suas obsessões. Ou talvez nem tivesse como fugir deles. Usa a crônica como uma espécie de bálsamo para as grandes e médias ressacas. Escreve sobre um mal-estar difuso, que ele próprio não tem como diagnosticar com precisão, mas que sabe dizer respeito à sua época. Aos gostos de sua geração, ao simulacro de convivência que caracteriza as redes sociais, à institucionalização das festas e da alegria, ao culto às soluções tecnológicas, às manifestações compulsórias, ao trabalho burocrático, à obrigação de cada um de parecer bem, integrado, limpo. Ao ônus de jogar o jogo certo.

Estamos falando de um cronista que se define pela negação. De sua janela, no último andar de um edifício isolado em Curitiba, o autor simplesmente constata, sem descambar para o cinismo, que "tem uma vista". Ou melhor, que tudo que tem é esta "vista impessoal", onde nada está sob sua influência, onde nada se move em sua direção, a não ser a tempestade e um ou outro trem obsoleto. Yuri é este cronista com nada ao redor. E talvez por isso acabe optando por fechar a janela, voltando sua atenção para o interior de si mesmo. Lá fora as multidões dançam, marcham, torcem pela vitória de seu time no estádio vizinho ao seu prédio. Não importa, o cronista abre seu vinho e pensa na solidão que lhe cabe.

Não que seja pedante. Não que não seja um flâneur. Pelo contrário: flana, e até demais. Extrapola os limites da sua cidade, as fronteiras do seu país, as bordas da sua língua. Passeia por Istambul, Belgrado, Joanesburgo, Riga, Moscou. Renega as massas, desconfia delas, mas não deixa de visitá-las, de misturar-se a elas, de comerciar com o outro. Como se estivesse o tempo todo dando uma nova chance ao mundo. E também ao Brasil, para ele uma vasta "nação de flâneurs" assustados.

Yuri só não nos diz de onde veio. Não nomeia a cidade onde nasceu e cresceu, o mar onde aprendeu a surfar aos quatro anos, a vila carioca onde tantas vezes se travestiu de bate-bola, personagem carnavalesco, híbrido de monstro e bufão acetinado. Prefere apenas se reconhecer distante de tudo. Da família, de Deus, das emoções coletivas, do desejo de deixar descendentes, do entusiasmo e das decepções da moda. Vive no Sul do país por gostar do silêncio de seus habitantes. Aqui, talvez mais do que em qualquer outro lugar do globo, "cada corpo é um eremitério". Yuri é um cronista no ermo.

13	Eles estão lá, eu estou aqui
15	O fracasso e a arte do fracassado
19	Monolito de água
23	Redução por números
27	Meu nome não é Cléber
31	A vida dos outros
35	Anatomia da ansiedade
39	Banheiro de rodoviária
43	O vendedor de abacaxi
47	Uma vista impessoal
49	O pinball como representação da vida
53	Uma fé possível
55	Chiclete preto
57	A velha e o papagaio
61	Uma conta bancária para este menino
65	O casal impaciente
69	Adeus raivoso
73	Todo mundo se assusta com barulho
75	Meu vizinho violinista
77	O terrível bar de portinha
81	Punk rock
85	Quero uma festa punk

89	O dia em que a década de 90 acabou
93	Ressaca negra
95	O vício de ficar sozinho
97	Natal na fazenda
101	Quando eu era inferno
105	Scheiße
109	A impossibilidade do flâneur moderno
113	A velha pele
115	Mar com sonhos de rio
119	Santa Milena
123	Atatürk
127	A hospitalidade sérvia
131	A hospitalidade russa
135	A briga dos dois Nikolais
137	Meu capote soviético do mercado negro de Riga
141	Janela para o real
145	Kurat
147	O som do silêncio
149	A sinédoque da soneca
151	Beber a própria solidão
155	Distância

Eles estão lá, eu estou aqui

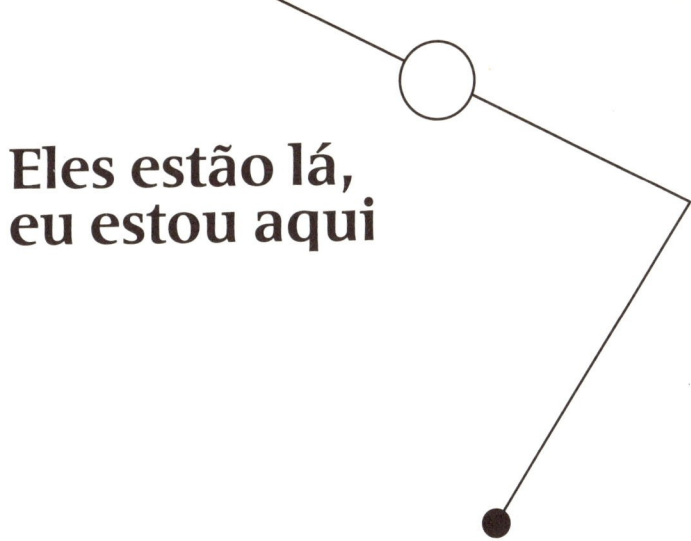

O barulho da chuva some, mas um ruído estático continua no ar. Abro a janela e constato que o som vem do estádio ao fundo da minha paisagem urbana enevoada. O Paraná Clube é uma espécie de time de futebol, com a diferença que desperta mais compaixão do que rivalidade nos adversários. Um adorável azarão, assim parece. De maneira que toda e qualquer festa maior que a sua outrora pífia e agora em ascendente explosão demográfica torcida faz arranca elogios nas redes sociais pelo que há de belo no esporte. Não entendo do belo nesse contexto, mas tenho certeza de que não é a aglomeração de bêbados gritando para a grama. Deve ser, sei lá, isso de ir a um estádio e não matar ninguém.

Abro a janela do quarto para me debruçar e fico ouvindo ao longe o som de televisão fora do ar que dez mil vozes desconexas fazem quando amplificadas por uma concha acústica de paredões de arquibancada. A chuva está um pouco fina, só o suficiente para molhar de leve a testa, e o ar fresco da noite cura as feridas pulmonares causadas pelo bafo quente da tarde, que ao longo do dia agrediu toda essa gente desacostumada a viver fora do gelo. Os holofotes parecem querer iluminar a cidade inteira, o deserto negro resistindo à base de insuficientes postes de halogênio. Iluminam as cores vibrantes do estádio, vermelho e azul. A massa cinza do lado de dentro, imagino, são as pessoas que, assim como suas vozes, parecem amorfas e unificadas num único horror.

Eu assisto em silêncio. Sinto uma doce melancolia em me ausentar desse evento de multidões. Gosto da minha masmorra do vigésimo andar. Eles estão lá, e eu estou aqui.

Percebo que falhei em ser um sujeito das massas. Não consigo compartilhar dos gostos que aglomeram as multidões em praças públicas, estádios, sambódromos e boates, ou mesmo aquelas que arrebanham no corpo a corpo, cada uma em sua casa assistindo à mesma tela. Sequer tenho uma turma de amigos que me convide para tomar um trago na calçada ou coisa que o valha. Curitiba me ensinou a ser sozinho ao mesmo tempo em que me mostrou que ninguém pode ser uma ilha. Não reclamo, a solidão me faz bem, constato, enquanto mais uma vez me dou conta de não participar da balbúrdia que acontece a poucos metros da minha casa. Os gritos explodem. Talvez alguém tenha feito um gol, ou chegado perto disso. Não sei. Fecho a janela e volto minha atenção, mais uma vez, para dentro.

O fracasso e a arte do fracassado

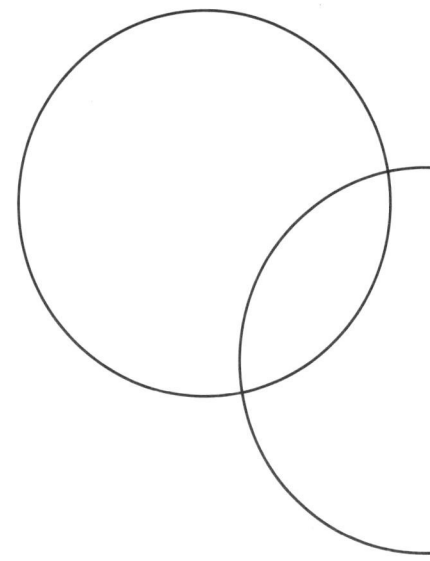

Certa vez, o — agora já se sabe — não literalmente imortal Lêdo Ivo disse em uma entrevista que jamais escreveria uma linha que fosse caso fosse rico, bonito e bem-sucedido. Tivesse um barco, mulheres e outras coisas que a sua mente era capaz de conceber como sinônimo de felicidade ali e estaria em algum recanto aproveitando e não escrevendo a vida.

A ideia de que a escrita ou, vá lá, a arte em um sentido mais amplo, seja o ofício de almas inadequadas aos padrões de sucesso e felicidade estabelecidos em nossa cultura não é nova nem obscura, restrita a uma meia dúzia de pensantes. Praticamente todos os poetas românticos escreveram sobre suas inconveniências existenciais em versos que inspiraram outros a buscar refúgio e conforto em uma espécie de paganismo beletrista que, se oferece mais tormento do que conforto para a alma de seus adeptos, pode ainda assim se pretender a uma tormenta conformada e, portanto, algo confortável.

A questão implica duas incongruências. A primeira: como manter uma arte inconformada caso o artista alcance o sucesso? De rappers que cantavam a pobreza da periferia e de repente se viram ricos e moradores de condomínios nobres a grupos de rock depressivos que obtiveram tudo o que suas letras prometiam jamais conseguir, resta ao fracassado bem-sucedido um simulacro de seus tempos inglórios ou um vazio de conteúdo que não passará incólume pelo implacável crivo da crítica.

A segunda: como manter o romantismo e idealismo da arte inconformada em uma época em que o próprio sinônimo de sucesso consiste em ser inadequado e incompreendido? O paradoxo encerrado em si não vislumbra possibilidades reais para fora da questão. Ainda assim, há quem tente, rejeitando inclusive o sucesso, a base de fãs, tudo aquilo que, dirá o artista, ofusca e desvia o real significado de sua arte.

O poeta Ferreira Gullar dizia que a arte existe porque a vida não basta. O escritor francês Michel Houellebecq, por outro lado, dizia que se faz arte por já estar, de alguma forma, cansado da vida. As duas afirmações sobre o propósito das intenções artísticas parecem antagônicas, mas se aproximam em seu significado (não tão) subtextual: a inadequação para a vida, para mais ou para menos.

Mas talvez esse descompasso entre indivíduo e sociedade não seja algo exclusivo, raro e muito menos circunstancial. Talvez fale diretamente à natureza inconformada do homem, razão pela qual sempre se é capaz de consumir e apreciar arte, mesmo de uma posição de relativa estabilidade. Emprego, família, casa própria e algum livro do Baudelaire entre as estantes não é nenhum absurdo, pois. Aos que dizem prescindir da arte deve-se estar de olho atento sempre. Esses são os tipos mais entediantemente perigosos.

Monolito de água

"Aqueles que nasceram longe / do mar / aqueles que nunca viram / o mar / que ideia farão / do ilimitado? / que ideia farão / do perigo? / que ideia farão / de partir?". Os versos de Ana Martins Marques acertam o sentimento de estranheza com esta entidade tão presente, mas fazem justiça somente aos que viram o mar alguma vez na vida; pouco podem fazer por aqueles que nasceram de frente para o mar, como eu. Porque ver o mar e saber de sua imensidão é diferente de tê-lo como o limitador dos caminhos ao sul, e não importa para onde se partia, o mar acompanhava a trajetória de longe. A vida na pequena praia onde eu nasci só dispunha de três direções.

Fui batizado no mar. Aos quatro anos, aprendi a ficar em pé em cima de uma prancha de surfe. Tirávamos o proveito que a orla possibilitava às crianças, com sua caixa de areia infinita, as ondinhas que molham os pés e seus objetos curiosos espalhados pelo chão ao sabor das primeiras descobertas. Dez ou vinte metros mais para lá era o limite; cinquenta ou cem, a zona proibida onde por vezes golfinhos davam seus alôs à terra firme em manhãs frias de agosto. Mais do que isso, era o desconhecido. Em alguma parte desse desconhecido, meu pai trabalhava. Mergulhava em águas profundas para cumprir suas obrigações de biólogo e pesquisador. Isso eu não via, só ouvia os relatos quando o Ulisses lá de casa voltava a Ítaca para almoçar.

Até que um dia fui embora e o mundo passou a ter uma rosa dos ventos completa. O mar continuaria ali, e só estava mais longe, eu sabia, mas para quem olha para esses prédios amontoados que somem no meio da poluição e da noite e não sabe para que lado ficam os barcos, é como uma presença dissipada. E como me distanciei do mar! Minha pele branca ficou ainda mais branca e minhas braçadas se tornaram cômicas, para dizer o mínimo. Hoje, como as pessoas da cidade, vou à praia — outra praia, que não é a minha praia — e o que para os outros é exílio, para mim é regresso.

Todo um ritual que me é estranho: arrumar uma mochila, lembrar de levar toalhas, chinelos, protetor solar, pagar pedágio, ficar parado na estrada e dormir em uma cama estranha depois do banho de mar, em uma casa cheia de areia e ardósia que precisa ser toda aberta (para ventilar) e depois toda fechada antes de partir novamente. Usar pratos, talheres e copos que ou são trazidos junto com as toalhas e chinelos, ou precisam ser retirados de gabinetes velhos e desempoeirados. À noite, muito barulho encobre o barulho do mar: cães, carros com som alto, uma festa que espoca em uma vizinhança inteira formada por turistas. Penso nas pessoas e volto a Ana Martins Marques, agora me fazendo sentido: "Quando disserem / quero me matar / pensarão em lâminas / revólveres / veneno? / pois eu só penso / no mar".

Redução
por números

Almoço com frequência em um bistrô amplamente frequentado por pesquisadores, professores, esse povo que se importa muito com blazer e óculos redondo e pouco com penteado, vocês sabem. O restaurante é um reduto relativamente luxuoso para as cercanias da reitoria da Universidade Federal do Paraná, de modo que não é raro encontrar sentado numa única mesa a nata da ciência política da cidade ou um grande grupo de linguistas alemães enfiando batatas na boca. Indivíduos, portanto. A minoria distinta das massas, como na visão radicalmente aristocrática de Ortega y Gasset. Eu, que não sou indivíduo, mas massa, também almoço lá, e figuro entre essas pessoas como uma rêmora.

A mágica acontece na hora de pagar a conta, e a artista da ilusão é uma jovem simpática, porém séria, que cuida do caixa. Em transe pelo trabalho repetitivo de apanhar as comandas, dizer a soma da conta e colocar o CPF na nota, quase que mediunicamente associa rostos a números de CPF, e decora, nem que seja metade do cadastro de pessoa física, de modo que ao cliente pagador só resta completar os números faltantes. Eu, por exemplo, aos olhos dela, tenho cara de 100 648. Como o homem das ruínas circulares de Borges, logo vou ter a cara do meu CPF inteiro, mas, por enquanto, a névoa de meus traços indefinidos só lhe permite desvendar mnemonicamente os seis primeiros dígitos, recitados de três em três. Nada em meus olhos, queixo, barba ou brincos faz com que ela lembre um sete, ou um trinta e seis. Esses números não existem em mim ainda. Não lhe pareço simpático, ou antipático. Nem bonito, nem feio, nem cansado. Nada do que possa ser concluído pela análise fisionômica é visto por ela. O que ela vê são números de CPF, que deve colocar na nota fiscal do almoço.

Eis aí a beleza de sua mágica: somos todos — e incluo aqui os doutos acadêmicos que lá almoçam — destituídos de toda nossa pretensa humanidade para sermos perfilados de acordo com o número que nos acompanhará pelo resto da vida. Eu perco rosto e sonhos, perco a saciedade da comida ingerida e as qualidades que me fazem um bom ou mau amigo. Mas eles perdem mais. Perdem doutorados, congressos realizados, artigos publicados, quilômetros de lattes pelo ralo da indiferença diante da importância de saber o número do CPF. À moça simpática, porém séria, não interessam sequer nome e sobrenome, commodities tão apreciadas nessa cidade que não larga o ranço provinciano da família. Somos replicantes de K. Dick, tijolos no muro de Roger Waters. É tudo o que nos resta naquela fila. Dispensamos a segunda via do cartão e saímos porta afora, desnorteados. A claridade do dia ofusca por um momento, um breve momento em que voltamos a ter rosto e sonhos, projetos realizados e a realizar. Continuamos indiferentes aos passantes da calçada, mas nos reconhecemos entre nós. Somos gente, somos massa. Se temos lattes, pouco importa. Antes de tudo, almoçamos aqui.

Meu nome
não é Cléber

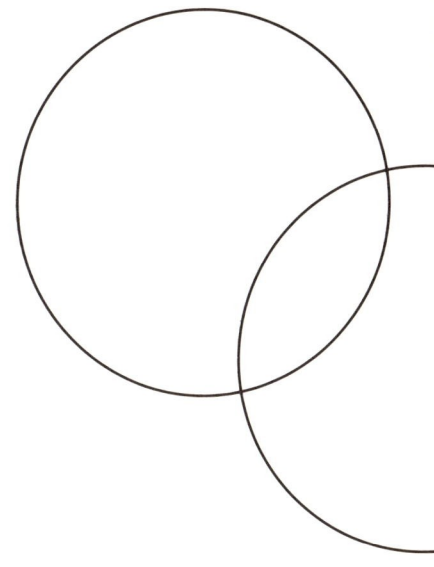

Um Kafka do século 21. O telefone toca, o DDD é sempre de outra cidade, e muda a cada vez. Quem disca se anuncia como funcionário da Renault e pergunta pelo Cléber. O número sempre foi meu e nunca foi de nenhum Cléber, há pelo menos uma década mantenho o mesmo celular. Minhas tentativas de convencer o interlocutor de que meu nome não é Cléber parecem funcionar apenas em um nível superficial e imediatista. Pedem desculpas e fazem juras obsequiosas de descadastramento de meu telefone do banco de dados. A esperança de que tudo aquilo se resolva com uma simples promessa, como em Kafka, dura pouco. Ao fim do dia, um novo telefonema regido pelo signo do deus engano me arremessa de volta para meu trono de herói absurdo, um homem camusiano que se digladia contra uma central de telemarketing movida por engrenagens escusas.

    Como provar não ser a pessoa que todos acham que se é? Corro das metralhadoras do teco-teco no milharal como o falso George Kaplan em *Intriga internacional*. Nada tenho a fazer a não ser me esconder e torcer para que o mal-entendido logo se resolva. É ainda capaz que descubra, como o personagem de Cary Grant, que George Kaplan nunca existiu, e se trata de um laranja forjado para dar os canos na Renault, o pequeno terrorismo capitalista que abala os setores de inadimplência das grandes empresas. O tal Cléber deve, e deve muito, a julgar pela quantidade de ligações que recebo, mas quem garante ser uma pessoa de carne e osso e não simplesmente um número de CPF falso, entre tantos outros? A vida desanda duas vezes por dia, mas entre uma ligação equivocada e outra, continuo com a rotina massacrante de trabalho, estudos, ônibus e alimentos de baixa qualidade nutritiva.

Experimento todas as reações possíveis. Sou gentil, agressivo, explosivo, ameaçador, triste, orgulhoso, quase honesto, quase mortífero. Nada surte efeito prático imediato. Meu nome não é Cléber, digo, mas continuam a me ligar — não sei até quando. Até a morte de um de nós dois. Eu, a pessoa de carne, osso e sentimentos frustrantes quanto a serviços de telemarketing, ou a entidade obscura que paira sobre minha existência e suspende o tempo e a realidade como o primeiro parágrafo de *A metamorfose*. Perco minha individualidade e me torno apenas a negação de outro ser, o não Cléber, aquele sobre quem nada é possível ser feito a não ser verificar sua existência ou não existência duas vezes ao dia. O tal Cléber de verdade, aquele que muito provavelmente deve dinheiro, também está livre de contato físico com seus credores, agora que as leis de mercado impedem a extorsão de dívidas mediante a fratura imediata das rótulas ou o afogamento simulado.

De modo que o objetivo final dos atendentes permanece um mistério. Fazer pagar alguém que não deseja pagar parece uma tarefa tão hercúlea e sísifica quanto empurrar o creme de barbear de volta para a lata. Enquanto não percebem isso, precisam acreditar na minha palavra, nem que seja por mínimas doze horas: meu nome não é Cléber, repito, meu nome não é Cléber.

A vida
dos outros

O cronista moderno que, ainda assim, deseja se manter fiel aos valores basilares da crônica rubem-braguiana, deve voltar seu olhar perscrutador para as redes sociais. Um Facebook permite uma imersão muito maior na intimidade da vida alheia do que um episódio entreouvido ou entrevisto em uma padaria ou restaurante, mesmo que alguém aponte a dubiedade do recorte autopromovido por quem posta fotos felizes e programas interessantes para o julgamento do público. Toma-se uma convivência involuntária com gente semiconhecida que não deixa outra posição a cada uma das partes a não ser a do voyeur acidental.

É sobre uma dessas vidas que desejo falar. Um amigo de Facebook, conhecido da vida real, desconhecido dos detalhes de sua vida privada, à exceção de seu recorte virtual. Ele tem a minha idade, talvez pareça um pouco mais velho, talvez tenhamos tido oportunidades diferentes em nossas trajetórias distintas, com uma larga vantagem em privilégios para mim. Talvez pela proximidade etária, me pego cada vez mais interessado na vida dele e no que ele anda postando, e a cada foto me pego imaginando no que poderia ter sido e no que continuaria sendo igual caso fôssemos mais próximos em história. Consequência lógica ou não, me pego também cada vez mais feliz por ele. Mais uma vez, posso estar sendo completamente iludido pela persona virtual, mas olho para os olhos pixelados do meu amigo de Facebook e só vejo sinceridade na sua rotina.

Pelo que sei desse peep-show cibernético, ele mora na região metropolitana de Curitiba, é casado e completamente apaixonado por sua esposa. Sei de muita gente que não suporta a felicidade alheia, mas o caso não se aplica a mim. Adoro vê-los juntos, reunindo seus amigos em casa para beber cerveja e conversar, aquela selfie meio torta que dá conta de capturar todo mundo, em casacos de frio e gorros de lã. Suas fotos têm legendas empolgadas em quase todas as vezes: muitas exclamações para estrear a pequena churrasqueira nova, ou para o luxo da cerveja artesanal que se permite de tempos em tempos. Um rapaz de gostos simples, comprou recentemente um baixo de iniciante e se diz satisfeito com o "brinquedo novo".

Gosta de registrar os momentos felizes de sua rotina — sei que o oposto também ocorre, talvez numa frequência maior do que a efusividade das fotos possa sugerir — e faz questão de colocar os amigos sempre juntos dele e da esposa. Show da banda Ira!, uma tarde para torcer pelo Brasil na Copa do Mundo, um barzinho no fim de semana: lá está o casal cercado de companheiros. Mesmo os colegas de trabalho que compartilham com ele a rotina de vendedor itinerante estão sempre sorrindo e bem-dispostos, crachá na gola da camisa social e o jeito rocker nas costeletas e na barba.

    Como eu disse, não posso deixar de me sentir satisfeito com esse feliz conhecido que se torna cada vez mais próximo de mim por compartilhar seus momentos online. Torço por ele e pelos seus como torço por mim e pelos meus. Sinto que somos um só, e sinto que ele está indo muito bem com sua vida de adulto: se divertindo dentro das possibilidades, vivendo o amor fati nitzscheano sem temer a inexorabilidade do cosmos caótico. Estamos bem, amigo.

Anatomia
da ansiedade

O coração bate um pouco mais rápido do que o habitual, mas isso não é sentido de primeira. Antes de mais nada, é o oxigênio que se respira que, de uma hora para outra, parece insuficiente para preencher o sangue do corpo. Movimentos de inspiração se tornam fracos, e os de expiração ganham presença, como se a vontade do ar fosse abandonar a prisão orgânica que o transforma em gás carbônico. O diafragma faz um esforço maior, dessa vez consciente, e o peito infla sem muito resultado, como se bombeasse um colchão inflável furado. Consequência disso é que a expiração também se torna mais forte, o que faz com que menos ar circule nas artérias. Logo, as tentativas de respirar melhor dão lugar a um arfar constante, que enfim acelera o coração até um estado mais perceptível e termina por cansar todos os músculos envolvidos no processo. Respirar passa a ser um exercício doloroso, e eventualmente se faz apenas por não ser possível agir de outra forma. Respiramos contra nossa vontade.

Na cabeça, a falta de oxigenação adequada começa a criar aberrações sinápticas que convertem o caldo morno do pensamento cotidiano em um fervilhante caldeirão de extremos. Mais uma vez contra nossa vontade, nos vemos convertidos em teóricos da conspiração de nós mesmos, encontrando pistas e provas que corroborem as conclusões pirotécnicas para as quais nos precipitamos. O universo desloca seu centro para o meio do umbigo luminoso, em torno do qual tudo orbita em simplificações occanianas de raiva, remorso, inveja e outras pequenezas da alma. Um estado súbito de falso esclarecimento acomete a consciência e, diante dele, o corpo se contorce em reações fisiológicas a sentimentos negativos.

A parte carnal que nos cabe reage violentamente em forma de compulsão. Precisamos preencher a sensação que não sabemos ao certo o que é, mas suspeitamos ser um vazio atroz e repentino. Escolhido o veneno, vamos a ele com a sede dos desertos até que tudo isso que estamos sentindo seja suplantado pela exaustão do vício. A solução é paliativa e descamba para um hábito corrente em situações similares. Agora já são dois problemas juntos, e já estamos cada vez mais ocos, cada vez mais neuróticos e cada vez mais abandonados. Soluções rápidas incluem barbitúricos e saco plástico, pular dessa janela, enfiar a cabeça no forno ou se jogar na frente de um ônibus. Não se sabe onde o espírito está nessa hora, mas parece fazer sentido como nunca. Felizmente, o corpo se torna cônscio na maioria das vezes em que inicia qualquer movimento consciente para este fim. Desistimos. Ainda estamos vivos. Respirando mal e na merda, mas vivos.

Até que de repente a coisa vai embora da mesma maneira misteriosa que veio. A sensação é de quase normalidade, os músculos do sistema respiratório desistem de seu protesto de nervos, e o ar entra e sai com a tranquilidade de antes. Alguns pensamentos perduram, mas são procrastinados pela mente em favor de algo menos angustiante. Uma esperança nos vem em cores pastéis quase vivas, como em um filme de David Lean. Nos sentimos estúpidos, mas momentaneamente medicados pelo corpo. Tomamos decisões mais certas do que a compulsão e optamos por dormir ou ver os amigos. Mais um dia de sobrevivência. Já passou.

Banheiro
de rodoviária

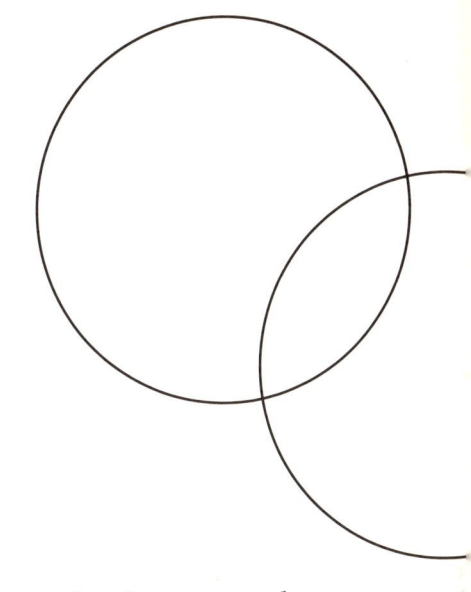

Você corre acelerado com a bolsa pendurada em um ombro só esbarrando em todo mundo e vira a esquina onde se vê o bonequinho pictórico sem as saias para adentrar ao recinto desde já distinto quanto ao cheiro no afã de esvaziar a bexiga que lhe aperta a pélvis, mas percebe que está prestes a se confrontar com o pesadelo milenar do banheiro público de rodoviária interestadual. Você foi bem criado, teve aula de piano, aula de pintura, fez judô, karatê, natação, ramain, zerou várias fitas de videogame, aprendeu a tocar guitarra, beijou na boca algumas vezes e sente que isso de alguma forma lhe preparou para a vida no mundo real em que o odor acre de urina rasga a narina mais sensível e coloca em destaque dentro da mente a superpopulação de germes. Você não sabe o que é um germe, mas teme e sua frio diante da ideia de que alguma forma de vida por mais microscópica que seja tenha passado da virilha suada de um homem pouco adepto de noções básicas de higiene para algum orifício da sua face depois de uma curta temporada morando em uma maçaneta enferrujada ou na cordinha de descarga que começa branca e virginal perto da caixa e termina negra, decepada e molhada de alguma coisa que, mais uma vez, é melhor não pensar.

Vai ser melhor para todo mundo não tirar a bolsa do ombro e colocar no chão, ele é de cerâmica e cinza, mas a textura enegrecida da porcelana tratada pode esconder sujeiras perenes de tempos outros, de uma época em que você jamais pensaria em entrar ali por conta própria. Há uma longa fileira de mictórios frugalmente separados por uma mínima barreira de granito cinza. Você passa apressado pelos mictórios vazios como se escolhesse o último de propósito, mas na verdade passa os outros em revista à procura do menos conspurcado, aquele com menos cabelos na borda, de preferência sem chicletes mastigados, sem uma poça amarelada se formando no recipiente que deveria servir para escoar a água no momento em que ela começa a se acumular por ali.

Você escolhe o aparelho de porcelana menos manchado, o que acredita ser a melhor opção para receber os seus dejetos. Faz pontaria em um ângulo mais fechado, perto do fundo, que não levante muita coisa, mas da pequena pocinha formada emana um espectro grosso que baila com força e leveza tal qual uma dançarina de flamenco. Catarro, esmegma? Você resolve pensar menos e evita incomodar o espectro. Os últimos pingos caem no chão porque você não tem o que é necessário para chegar mais perto do mictório e pensa que uma coisa leva a outra e que essa é a natureza das coisas.

Lavar a mão se torna motivo de ponderação, prós e contras sendo rapidamente enunciados e calculados de cabeça, mas decide que a água e o sabão podem redimir sua presença naquele antro sujo sem qualquer diversão eletrônica. O arame preso no azulejo indica que antigamente ficava ali uma saboneteira antiga, que cedeu seu lugar no tempo para uma garrafa de água mineral furada na tampa e recheada de sabonete líquido verde de espessura indefinida. Menos viscosa do que aparenta, talvez menos eficiente também. Tocar em qualquer coisa ali é girar a roleta. Você pensa na cama em casa, no banheiro limpinho, da empregada que te criou tão bem, do Toddy com leite e misto-quente no crepúsculo, e sente falta de tudo. Tateia o dispenser de papel-toalha sem ver que ali só há ferrugem e vazio. Esfrega as mãos com convicção nas coxas da calça e faz uma manobra para puxar a porta pesada com o pé sem encostar na maçaneta.

Alguém ao mesmo tempo empurra para entrar no banheiro e você não consegue encarar a pessoa no rosto. Sente vergonha de estar ali lutando contra algum tipo de contágio hipotético enquanto exerce noções comuns de higiene, como puxar portas de banheiros públicos com os pés. Passa a herança do desespero para o desconhecido que desajeitadamente passa entre a porta e você com sua bolsa tiracolo. Você está livre do banheiro e livre da necessidade fisiológica que te levou àquele lugar. O ar puro que começa a invadir as narinas tem o frio e o peso de uma atmosfera mais próxima ao mar, você mal acredita. Torce por banheiros melhores, lugares melhores, uma vida melhor. Mas por dentro sente que seu desejo epicurista estaciona quando os produtos de limpeza rareiam. Você sente que já perdeu. É, já perdeu.

O vendedor
de abacaxi

O vendedor de abacaxi gosta das minhas botas e do meu casaco de couro. Os guardas gostam de brincar que não dá para saber se o vendedor de abacaxi vai te oferecer um abacaxi ou cometer um assalto. Mas acho que isso é só o preconceito falando, por causa da pouca idade do vendedor de abacaxi e da prosódia meio agressiva, meio simpática que qualquer um que teve uma infância hostil e de repente precisou sorrir para ganhar dinheiro guarda dentro de si com certa dificuldade de abandono.

Todo dia ele chega com seu carrinho de mão repleto de abacaxis. Não sei de onde vem e como faz para trazer tanto abacaxi para a frente do escritório. Talvez venha andando, Deus sabe de onde. Talvez tenha quem dê uma carona, na boleia de uma caminhonete ou algo assim. Usa botas como as minhas, um casaco de couro como o meu, e ostenta um belo e grande relógio de pulso dourado. Diz que é roqueiro. Diz que o pai faz parte de uma facção criminosa. Diz que não fala com o pai. Diz muitas outras coisas, mas sempre quer puxar algum assunto e me chama de piá. Pergunta se vou descansar, se o trabalho que eu tenho é muito estressante, se é fácil trabalhar com o que eu trabalho. Digo que sim, sim e sim, claro. Ele diz que gostaria de tentar trabalhar como eu trabalho qualquer dia, e diz também que sofre preconceito por ser roqueiro e ter pele vermelha. Lamenta não ser geneticamente propício a ter pelos e diz que o cavanhaque que ostenta é o máximo que pode fazer para ter uma barba como a minha. Gosta da minha barba.

De vez em quando gosta também de me contar sobre os acontecimentos dos últimos dias. Que tem dificuldade para dormir à noite por ser muito ansioso e que não leva desaforo para casa. Deu uma facada no braço de um ladrão que tomou seu celular no Largo da Ordem. Não dá pra andar no centro da cidade sem a peixeira, analisa. Ligou para o pai, com quem não fala, para ver se ele poderia ajudar a recuperar o celular e ir atrás do safado. Não sei se houve uma procura, mas, de qualquer forma, foi um plano malsucedido. Mesmo que, segundo os guardas, tenha jeito de assaltante, não está imune a um assalto.

Nos dias frios vende pouco abacaxi. É pouco consumido no frio, pondero. E por que está tão frio, ele quer saber. Porque estamos no inverno, vaticino. Ele desperta do transe em que parecia estar e concorda comigo, nossa, é mesmo. Volta e meia pergunta se eu quero um abacaxi, mesmo nunca tendo mostrado o menor interesse no produto. Hoje não, quem sabe amanhã, digo com aquela falsa simpatia de quem não quer desesperançar o comércio local. Outros que passam por ali respondem a mesma coisa. Quem sabe amanhã. Mas tempo para trocar meia dúzia de palavras no fim do dia sempre tenho. Conversamos amigavelmente, dividindo o mesmo local de trabalho. Eu, do lado de dentro; ele, do lado de fora. Jamais pensaríamos em conversar um com o outro, e entretanto cá estamos.

    O vendedor de abacaxi não diz quando vem, nem quando não vem. Simplesmente aparece, e eu não sei se é por vontade própria ou condições externas a ele. Vai saber, Deus que sabe. Sendo confundido com assaltante pelos guardas e trocando facada com malandros no Centro, as possibilidades são incertas. Cada vez mais incertas. Mas talvez seja só eu mesmo, preocupado com o amigo da rua que não vem nos dias cinzentos. Hoje ele não veio. Quem sabe amanhã.

Uma vista impessoal

Abro as cortinas e olho pela janela. A cidade inteira se desvela sem dificuldade a partir daqui, do último andar deste prédio sem concorrentes na região. Algumas poucas torres solitárias nesta rua que desfrutam do mesmo privilégio. Até onde a vista alcança, está Curitiba. Se estiver com o oftalmo em dia, é possível ver a cidade metropolitana de Araucária também. É possível observar o novo templo evangélico em construção e dois estádios principais da cidade, além de viadutos, garagens de ônibus, hospitais, vias expressas e a linha férrea que ensurdece o mundo com seus trens obsoletos.

Não é possível, diante de tanta informação, se ater a qualquer detalhe. Um James Stewart com o pé quebrado do alto desta janela não renderia nenhuma trama para Alfred Hitchcock. Tudo está longe demais, impessoalmente distante e reciprocamente indiferente. Queimas de fogos que espocam no horizonte, um avião que corta o céu rumo ao aeroporto, uma revoada de pássaros às cinco e meia da tarde. O condomínio do lado tem uma quadra poliesportiva que permite observar crianças chutando bolas e andando de bicicleta, mas é só. Nada nem perto da emoção de um prédio do centro da cidade, com suas discussões passionais à luz do poste, com suas prostitutas, assaltantes e outras estrelas do submundo da cidade grande. Por aqui, só o que se aproxima é o trem e a tempestade. O resto continua na paisagem imutável, como um painel pintado em um filme antigo para simular uma cidade de dentro de um estúdio de cinema. Se algo se move ou não, não faz tanta diferença.

À noite, as nuvens carregadas refletem as luzes da cidade e deixam o céu sem estrelas, numa tonalidade triste de marrom. Assim como a cidade parece distante, também eu me sinto distante dela. Quem sabe um *trip hop* combinasse bem com essas janelas acesas a essa hora, quem sabe um trompete triste de Miles Davis tocando para um filme do Truffaut. Mero observador malogrado da vida que se desenrola lá embaixo, longe dos pés e dos olhos. É tudo céu e concreto. O mar já não bate em minha porta e hoje um pouco menos em meus pés, dizia aquela música. Quando será que vai fazer um sol de novo?

O pinball como representação da vida

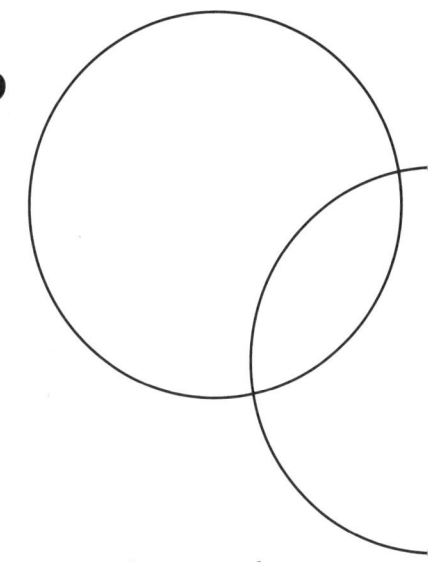

Um dos jogos de mesa mais fascinantes já criados, na minha opinião, é o pinball. O jogo, espremido na fronteira entre o real e o virtual, entre o mecânico e o eletrônico, trabalha sua dinâmica a partir de uma pesada bilha de metal, que se debate de um lado para o outro em *bumpers*, *kickers* e *flippers* através de um vidro e é, além de muito divertido, uma experiência imersiva, sinédoque da vida.

A lição número um do pinball é que a ação acontece a partir de seus comandos, mas a reação é comandada pelas leis da física, e há muito pouca interação entre essas duas cadeias de comando. Dependendo da máquina, uma pancada mais forte no botão do flipper corresponde a um coice mais violento sobre a bola de metal, mas, no sistema moderno de jogo, tal intenção não se repercute no ambiente interno. O vidro conecta máquina e humano na mesma experiência, ao mesmo tempo em que a limita e a aprisiona. Como os sentidos em Merleau-Ponty. É, pois, um jogo sobre a limitação do controle e do poder exercido em um universo materialmente intangível — ainda que cientificamente aplicável — e a influência do jogador sobre a bolinha de metal por meio de dois ou três botões nada mais é do que o pináculo do livre-arbítrio sobre a máquina.

O que não significa que a ação dentro do vidro não possa ser controlada de alguma forma. O bom jogador de pinball sabe calcular os ângulos de seus tiros e direcionar ações para reações desejáveis, dessa maneira controlando a imprevisibilidade das coisas e forçando a ordem no caos onde ela couber. Os sensores espalhados por toda a estrutura interna por onde passa a pesada e desajeitada bilha reconhecem o que está sendo feito, mas não o que está sendo intentado. Mesmo assim, enquanto até se pode conseguir algumas façanhas de maneira errática e acidental, as boas jogadas dependem desse controle limitado.

Já com o mau jogador acontece um fenômeno de outra ordem. Inexperientes no pinball podem se aproximar da máquina e achar que tudo se resume a apertar freneticamente os botões do flipper até que algo grandioso aconteça, mas o que realmente se sucede é a ascensão gradual do caos sobre o jogo, e, quanto mais bumpers, kickers e targets reagem à bolinha de pinball, mais o mau jogador abandona qualquer ambição de construir um jogo sólido e passa a ser, ele também, um mecanismo reativo, tornando-se máquina como todo o resto.

Controlar a máquina ou por ela ser controlado é, portanto, o enigma da esfinge do pinball. Colocar a própria vontade em meio à desordem e leis preestabelecidas é um desafio diário refletido no aparato de ferro, vidro, borracha e plástico. A vida é luta. A representação das forças que regem a vida é entretenimento. Bater forte é mais divertido, mas nem sempre mais eficiente. Eis tudo.

Uma fé possível

Meu trabalho é dos mais burocráticos. Envolve cadastro, fotocópia de documentos, carimbos, conferência de firmas, dossiês digitais, assinaturas frente e verso em todas as vias e uma série de trâmites dificultosos que têm como único objetivo evitar processos fraudulentos. Burocracia em sua plena forma, com o gozo de seu poder modorrento. Dizem que a burocracia é uma arte inventada por Satanás e praticada livremente no inferno. Fácil entender o porquê. Sendo o demônio o polo oposto a Deus, a burocracia se situaria, da mesma forma, no extremo mais distante da fé. Não há validade alguma para os princípios da fé no mundo da burocracia.

Em termos de fé, tudo aquilo que poderia ser atribuído a um banana, um ingênuo, vira uma virtude dentro da igreja cristã. Acreditar em algo sem prova alguma é sinal de que sua espiritualidade está desenvolvidíssima, e não há nada a fazer a não ser sentir pena pelos Tomés que se recusam a seguir o mesmo princípio. Eis aí uma pessoa de fé, um exemplo a ser seguido. Do átrio para fora, entretanto, a fé transformaria um homem próspero em um sem-teto em questão de dias, senão de horas. O pressuposto é que ninguém é digno de confiança, nem mesmo o dono do carimbo, razão pela qual outros carimbos precisam se somar ao original. A fé persiste semanticamente no princípio jurídico: dar fé. Quer dizer colher a documentação, verificar as possíveis fraudes e brechas e, não as havendo, borrar a página com a tinta preta que se fixa na borracha que se fixa na madeira que é erguida e violentamente marretada pelo braço do homem que acredita em certa medida no método, na burocracia e nos poderes conferidos. Uma fé com dois olhos bem abertos.

A fé do cartório é uma fé possível. Uma fé verificada e embasada, como a fé na ciência, na engenharia e até no direito. Entrar em um avião sem ter a menor ideia de como um motor aeronáutico movido a explosão funciona requer uma certa dose de credulidade no trabalho tecnológico desenvolvido até aqui. O sinal da cruz antes da decolagem acaba sendo mais uma âncora diante da escuridão do desconhecido. Quanto mais âncoras em certezas cegas, mais profilático se torna seu fiel, que tenta escapar da insanidade diante do medo da morte. Antes acreditar no semáforo, no avião e no relógio, como diz a letra do Vanguart, do que em algo que não pode nunca ser confirmado e nem carimbado por ninguém. Essa é uma fé para os que já estão loucos de mundo.

Chiclete preto

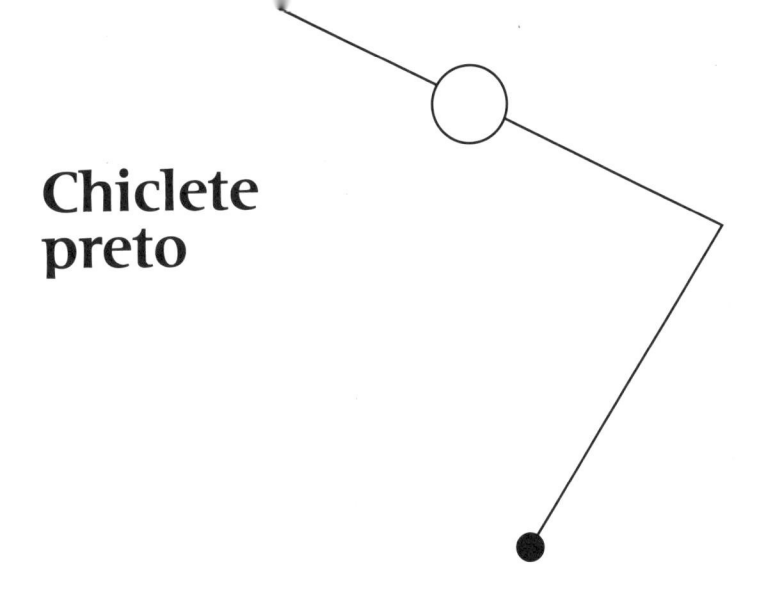

A criança olha os doces que estão dispostos no balcão. Passa os dedos por uma caixinha de plástico, logo escorrega a mão para um punhado de drops e, por fim, se decide por um pacotinho preto e roxo, com temas de monstro e com a possibilidade de não ser um chiclete tão doce. "Aí diz que pode ser doce ou azedo", diz o pai, sério. A criança olha para ele com uma fúria que jamais vi em olhos infantis. É o enfrentamento das coisas, a desordem do mundo acontecendo em um balcão de padaria. O menino é só veias e carnes rosadas de ódio, olhando fundo nos olhos do pai por baixo das sobrancelhas como um dos loucos de Kubrick.

Estende a mão por cima da cabeça e entrega o pacote para que o pai o compre, resoluto em sua decisão, impulsionado pela vontade de contrariar o que não chegou a ser uma desaprovação, quando muito uma advertência paterna sobre o jogo de azar prometido na embalagem. Sente-se mau em toda a extensão de seu pequeno corpo, está aprendendo a desafiar o pai aos poucos. Treme de raiva e arreganha os dentes porque não sabe direito o que fazer com a sua raiva. Pouco provável que corra amok entre os transeuntes da pequena padaria do centro da cidade, e o pai ainda é muito maior. Por isso só encara o adulto que lhe paga o chiclete de monstro. Dinheiro recolhido no balcão e jogado displicentemente dentro da carteira enorme, deixa sobre a fórmica os monstros e o chiclete doce ou azedo para que o menino apanhe sozinho. Dá as costas para o balcão antes disso, que é para que o menor perceba que suas ações são de sua inteira responsabilidade agora. Ele entende isso rápido.

Não trocam palavras, muito menos afeto. O pai responde seu ódio com uma frieza inescrutável. O menino não arreda um milímetro em seus pensamentos negros mesmo assim. Talvez seja a maneira que descobriu, esgueirando-se pela mata virgem de seus próprios sentimentos, para chamar para si uma atenção que até então havia julgado sua de direito. Vai crescer buscando essa atenção, encontrando subterfúgios novos para que o pai lhe olhe nos olhos. O santo graal do amor paterno, um cadinho de afeto, algo que ultrapasse a hombridade do tapinha nas costas.

Enfia o chiclete na boca. Sabe que nenhum amor virá. Ninguém vê quando sutilmente contrai o rosto. Sente o gosto azedo inundando sua boca.

A velha e o papagaio

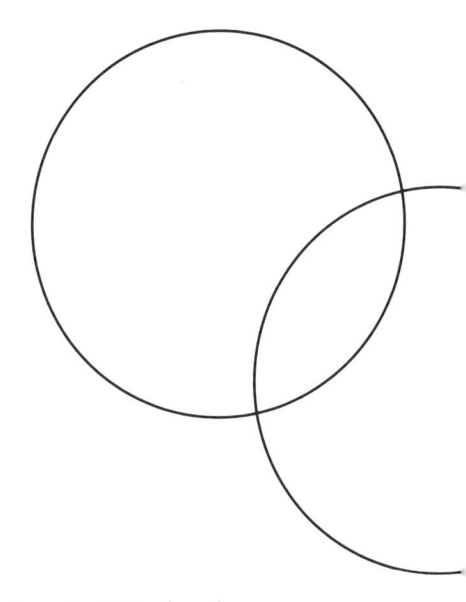

Como gostava do papagaio, aquela velha! Punha ele na cozinha para ver a tevê e passava a manhã cozinhando o almoço e comentando com ele os programas da manhã. O loro assobiava, esboçava uma palavra ou outra no começo, mas depois passou a decorar frases inteiras com a mesma rapidez em que eram ditas. Só fazia repetir instantaneamente o que a velha dizia, a menos quando usava uma frase anterior para responder algo, aí sim parecia uma conversa. Dançava empoleirado, andava pela casa toda embora tivesse asas para voar, virava a cabeça em sinal de confusão e se agitava quando ela voltava do sacolão, às quartas e aos sábados. Bicho que não balança o rabo eu não sei avaliar direito, mas parecia que o papagaio adorava a velha também.

Começou com essa história de papagaio já tem um tempo. A velha via a loira do programa de culinária que conversava com um fantoche de papagaio e achava lindo, queria ter um. Parecia uma sintonia cósmica, uma ordem do universo que ela devia obedecer: a ligação afetiva entre velhas e papagaios. Os filhos achavam caro um papagaio desses — quase vinte mil! —, mas, depois que o velho da velha morreu, acharam por bem conceder esse capricho. É bom que faz companhia, disse um deles. O importante é manter a cabeça ocupada, analisou outro, com falsa autoridade, como se tivesse publicado uma pesquisa arrasadora sobre velhos de cabeça desocupada. Cada um deu um pouquinho, menos o caçula que era vagabundo e não tinha dinheiro para pagar nem o próprio aluguel, e compraram o papagaio. Vai viver mais que ela, sussurrou o caçula na sala escura em que todos se reuniam, depois de ler que os papagaios podiam viver até vinte e cinco anos em cativeiro. Fizeram surpresa. A velha quando viu aquele bicho na sala foi chegando de mansinho com os dedos entrelaçados na altura do peito, admirada e solene, e o saudou pela primeira vez. É o meu bichinho!, exclamou e repetiu muitas vezes, chamando-o sempre assim: o bichinho.

A partir daí o bichinho era o centro do universo da velha. Se saía com alguma amiga, logo tinha que voltar para casa porque tinha deixado o bichinho sozinho. Obrigava todas as parcas visitas que recebia a contemplar e cumprimentar o bichinho. Era bichinho para cá, bichinho para lá, e olha aqui ele cantando a música do *Marcha soldado*, fala, bichinho, fala que eu sou linda, a velha implorava, e o papagaio repetia a frase que ouviu excessivamente na intimidade do lar. Você é *tãooooo* linda, entre uma assobiada e outra. E dançava, pulava e balançava a cabeça conforme as músicas favoritas da velha lhe eram ensinados. Chegou a esquecer o arroz no fogo algumas vezes de tão entretida. A cabeça lá, ocupada.

Foi no almoço de páscoa. Toda a família reunida na casa da velha, que preparou uma porção de bacalhau com batatas e vinho branco, que todo mundo comeu de se esbaldar. O caçula afastou a cadeira para se retirar da mesa sem ver que o papagaio estava no chão atrás dele. Um piado agonizante cortou o bater de talheres da cozinha e num minuto todo mundo se sobressaltou. O estrago já estava feito, abriu-se um buraco na traseira do papagaio, por onde se esvaía o sangue e a vida do coitado. Agonizava de barriguinha para cima, respirando forte, de olho fechado. A velha gritava o bichinho vai morrer, o bichinho vai morrer, ah meu deus, o bichinho vai morrer. Estava inconsolável, mas o que dilacerou mesmo o coração dela foi o bichinho, que pegava rápido as frases no ar. Antes do derradeiro suspiro, repetiu algumas vezes, já fraco, entre um assobio e outro: o bichinho vai morrer, o bichinho vai morrer.

Uma conta bancária para este menino

A mesma camisa vermelha no corpo ossudo e comprido do pai e na silhueta suave e debochada do filho. Os dois andam lado a lado e sentam-se à mesa para abrir uma conta. "Uma conta bancária para este menino", diz, alegre. Em nada são parecidos, a não ser pela camisa. O menino se esforça para se distinguir da sobriedade do pai e usa um boné displicentemente colocado sobre uma cabeleira vasta e clarificada, arrumada em uma longa franja que para um pouco acima dos seus olhos. Na camisa dos dois, o nome do pai e um número embaixo, que pode ser um telefone ou uma matrícula. Talvez trabalhe junto com ele, talvez esteja lhe ensinando um ofício. Talvez não tenha outra camisa para usar. Pode ser orgulho do pai, ou pode ser que o pai o obrigue a fazer propaganda de sua prestação de serviço, e ele não veja a hora de ser desassociado daquela figura dominante.

Ainda não está livre da presença paterna, não completamente. Seu contrato de conta terá de ser assinado pelos dois e sua vida financeira será mediada até que atinja a maioridade, mas ele parece se importar pouco com isso. Parece se importar pouco com pouca coisa, na verdade. Responde às perguntas do cadastro com uma desatenção irritante, e o pai o corrige entre a raiva e a vergonha, sempre exigindo que acorde para a vida ao final de cada resposta corrigida. Vê-se que é uma batalha perdida, o menino está presente em corpo, mas sua mente vagueia por sabe-se lá quais veredas dos sonhos que esses millennials habitam hoje.

A razão pela qual os dois estão ali logo se revela a quem quiser ver. É por causa do pai, que quer dar lições práticas da escola da vida para o filho letárgico e pronto para o fracasso burocrático do dia a dia. Pega a caneta e fala "aqui você tem que dar um visto. O meu visto é assim ó", e faz voltas maravilhosas com uma esferográfica azul, incitando o menino a tentar algo parecido, mas este se limita a escrever o primeiro nome com a cultura gráfica de uma criança da terceira série. Responde mais algumas perguntas erradas, assina alguns documentos de maneira irregular, diferente das outras assinaturas, e se levanta da mesa sem esboçar nenhuma reação diferente da que apresentou ante o que bem pode ter sido seu primeiro vislumbre da vida adulta. O pai não. Tenta ainda, com gestos e perguntas interessadas, mostrar para o filho como deve se portar diante de grandes corporações e instituições prementes do que provavelmente considera como uma vida de sucesso. Mas não esconde a frustração quando olha para o lado e vê o jovem desinteressado e com o olhar perdido ante a pilha de papéis que passou por suas mãos.

O menino não liga. Não se importa com a conta bancária, nem com o cartão que vai receber entre dez e quinze dias e que deve retirar no guichê do caixa. Não é que não goste de dinheiro. Seu celular, boné, cabelo e brincos acusam contra um possível desapego materialista. Apenas não consegue entender o que o pai tentou fazer por ele neste dia. O velho espera que uma hora entenda. Mas não sabe o que fazer enquanto espera.

O casal impaciente

A senha chama. O casal esperava lado a lado, misturando tédio e irritação em semblantes impacientes. O papel está na mão do homem, que demora microssegundos para entender que o número impresso no papel termossensível corresponde ao que a tela agora exibe em meio a pulsantes cores. É o suficiente para que a companheira lhe acorde com uma cotovelada enfezada. Ele acorda e ela deixa transparecer uma súbita satisfação, não pela vez de ser atendida que chegou, mas pela oportunidade de ter se mostrado mais atenta e mais ligeira em pensamento do que o homem — e igualmente pelo poder de lhe punir por aquilo, como se esperasse uma brecha o dia inteiro.

Eles sentam à mesa. Querem comprar um carrinho de pastel e precisam de um empréstimo. Ele administra, ela põe a mão na massa, explicam resolutos com suas funções. Marido e mulher na riqueza e na pobreza. Nenhum parece se sentir injustiçado na parte que lhe cabe. Sentem-se mais vítimas do Estado e seus pesados tributos. As agruras do trabalhador informal, uma ladainha que escorre pelas paredes do banco, tamanha sua densidade no ar do recinto. Ouvem com atenção as linhas de crédito e as taxas aplicadas, e nota-se que mais uma vez ali dividem papéis. Enquanto a mulher escuta com atenção e não deixa passar nenhum detalhe, o homem parece pegar as informações principais e, apertando os olhos fixados no infinito, calcula algumas coisas de cabeça — provavelmente o tempo que o carrinho de pastel demorará para se pagar e qual será a jornada diária e o lucro esperado nesses primeiros momentos, sempre tão críticos a um novo negócio.

Essa divisão acaba dando munição para o sadismo da esposa. Quando pergunta mais uma vez sobre um detalhe do empréstimo que deixou passar enquanto pesava óleo e farinha de trigo em uma balança monetária, ela reage com rispidez. Está em um papel à sua frente, e ela aponta feroz e repreensiva. "Você é surdo ou é cego? Tá aqui, não tá vendo? E ele já explicou", e ele se desculpa com o olhar ao mesmo tempo em que se põe em estado de alerta, pronto para revidar com fúria ao menor sinal de vacilo da mulher, o que, felizmente para ele, não demora a chegar. Está em seu território, afinal.

Capital, juros, parcelas, tudo isso tem pouco a ver com a vida da cozinheira curiosa que abre os olhos e os ouvidos para não deixar o casal ser ludibriado pela maldição da usura excessiva. Pergunta algo, certa da ignorância do marido, mal suspeitando se tratar de uma informação elementar. Ele, por sua vez, se volta triunfante e dá uma lição na mulher, gritando à meia-voz com grosseria e impaciência. Ela, por sua vez, devolve-lhe o olhar culpado, mas logo recobra as forças e diz que perguntou porque tinha certeza de que ele não tinha prestado atenção nesse detalhe específico do empréstimo. Ele lhe devolve a acusação com mais grosseria e diz que aquilo era óbvio e que, em outras palavras, seria melhor que ela se colocasse no seu lugar. Ela bufa de arrependimento, mais nervosa consigo mesma por ter vacilado em algo simples do que com o marido, de quem parecia já esperar esse comportamento.

    A caneta esferográfica descartável passa com dificuldade pelo papel, é uma assinatura simples, mas difícil para as mãos que a tecem. O dinheiro cai na conta a um simples apertar de botão do gerente. Os dois estão entre a emoção e a apreensão, como se agora tivessem mais alguém em suas vidas que lhes atacarão ao menor vacilo: o banco. Ele levanta e ela não. "Já acabou, acorda, vamos embora", ele lhe dirige a voz irritada. Ela se levanta e suas vozes hostis se dissipam entre a falação da agência bancária. Saem discutindo e trocando ofensas leves. São agora sócios de um carrinho de pastel. Torcem para que o negócio vá bem. Querem o melhor um para o outro.

Adeus raivoso

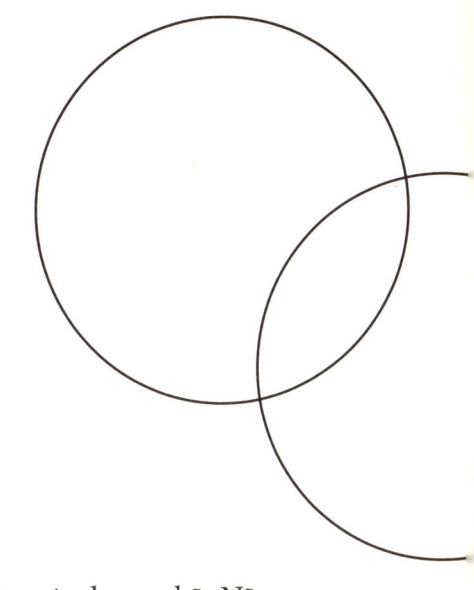

Ela começou a fazer as malas às seis da manhã. Não me olhou na cara, não trocou uma palavra comigo depois do fogo cruzado da madrugada. Estávamos cansados pela falta de sono e pela falta de solução e ela, resignada e furiosa, se limitou a juntar as roupas, os objetos de banheiro e o que mais fosse necessário para esses primeiros dias em um hotel. Eu fiz o meu papel de homem e fiquei sentado na cama como um bobalhão, observando tudo, sem reagir a nada. Acho que era o esperado de mim. Não podia ir para lugar nenhum, era a minha casa.

De pé, agarrando casacos com raiva, minha recém-ex-esposa soltava lufadas de ar pelas narinas dilatadas, segurando as lágrimas que não queria deixar cair naquele momento. Qualquer esperança de retorno a um estágio anterior de nosso relacionamento seria dinamitado pela lembrança daquele momento. Nossa história se esvaindo junto com a noite, o sol dando lugar ao nosso primeiro dia como solteiros depois de muitos anos.

Terminar é cansativo, mas isso pouca gente fala. A energia gasta para fazer voltar a objetividade da conversa derradeira, que a todo momento escapa entre episódios de ressentimento que de repente se tornam prenúncios do fim, é enorme — e desnecessária, não fosse a liberação de tantas emoções confinadas em nome da convivência pacífica. O início é necessariamente emocional; ao fim, convém certa racionalidade.

Mesmo assim, não há maneira fácil de fazer isso. Ponderar todas as palavras não vai impedir a ebulição dos ânimos e os cortes profundos na carne. Nós dois nunca fomos esse tipo de gente, de qualquer forma. Orgulhosos e desbocados, um par de galos de briga, esporas afiadas sempre à espera da contenda. Por alguma razão, nos contivemos ao longo de todo esse tempo. Fazíamos isso um pelo outro. Concessões. Acreditávamos que o amor também se construía nos socos que tomávamos calados, na direção oposta do nosso desejo. Pequenos sacrifícios que escoravam a frágil edícula de nossos dias juntos. Olhando daqui, tudo parece um enorme desperdício. Ela também se sente assim. Sei disso.

Ela rompe o silêncio ao celular. Chama um táxi pela última vez em seu já antigo endereço. Mas a mim não deixa nenhuma instrução. Tivéssemos uma aliança, seria agora que ela a jogaria no chão. Bate a porta com força, mas o vento encanado não deixa fazer tanto barulho. Vai esperar o táxi lá embaixo. Sei que ainda vamos nos ver, vamos ter mais algumas conversas, principalmente as de ordem prática. Preciso juntar o resto de suas roupas, seus livros, discos, filmes, os pequenos objetos que usava para enfeitar a casa.

Um pôster da Etta James. Marcar um encontro, arrumar um serviço de frete e tirar daqui os vestígios do que foi sua presença neste lar. Mas agora não. Agora, faço um café, tomo um banho e tento não desmaiar de sono. Preciso ir para o trabalho daqui a pouco. Vou passar na padaria e comprar um energético. A mocinha do balcão vai perguntar sobre ela. Eu sei que vai.

Todo mundo se assusta com barulho

Todo mundo se assusta com barulho. A menina também, mas não demorou para se recuperar do susto. Estava dormindo em seu quartinho no final do corredor da casa. Levantou meio cambaleante e caminhou vagarosamente de sua cama até a porta e depois da porta até a outra ponta do corredor, onde estava a sala de estar, em um misto de sonolência e cautela. Mesmo de longe e com os olhos entreabertos, pôde ver que a estante de madeira escura que ficava na sala apresentava alguma mudança. Era o aquário, não estava mais lá entre os volumes de enciclopédia e listas telefônicas. Estava no chão, espalhado em muitos caquinhos, e todos os peixes estavam caídos pelo piso de taco. Alguns ainda respiravam e se mexiam, outros estavam inertes sobre uma fina linha d'água que avançava pelo cômodo e infiltrava tapetes e outros móveis. Tomou cuidado para não pisar em nenhum pedaço de vidro, mas acabou ferindo o pé com um caco minúsculo, grande apenas o suficiente para lhe rasgar uma parte da sola do pé.

Não gritou nem fez escândalo como a maioria das crianças de sua idade. Resolveu ir procurar a mãe, que provavelmente estava na cozinha, contígua à sala. Enquanto o detalhe do aquário fora da estante foi percebido de longe, a cozinha tingida de vermelho demorou para ser assimilada por seus olhos ainda confusos do sono interrompido. Pia, armários, a torradeira branca, fruteira, lixeira e bancada estavam rubros de um vermelho escuro que se tornava mais claro nas extremidades. Em um canto da cozinha, com as pernas para cima e os braços estendidos no chão vermelho estava a mãe, ou parte dela. Não se via a cabeça, mas uma maçaroca de carne e ossos com pequenos pedaços ao redor e alguns fios de cabelo negro espalhados pela poça como infinitas cobrinhas.

Não parecia a mãe, parecia uma boneca, e durante algum tempo considerou essa hipótese. Sequer saberia se tratar da mãe não fosse a sapatilha vermelha de camurça gasta que ela usava para cozinhar, o vestido floral branco e o avental azul que usava habitualmente. Mas naquele corpo, toda essa vestimenta parecia estranha, como se junto da vida fosse embora também toda a personalidade e o propósito daquelas peças. Seria possível que o corpo de sua mãe poderia tão rapidamente se tornar aquela coisa desajeitada e silenciosa que estava ali, imersa na bagunça do sangue espalhado e com as pernas apoiadas na parede?

Olhou ao redor, em busca de uma explicação. Encontrou o silêncio. E se assustou com ele também.

Meu vizinho violinista

No prédio ao lado do meu, há alguém que está aprendendo violino. Não deve ser uma criança, já que treina em casa e durante a noite, na grande maioria das vezes. O som das cordas timidamente arranhadas pelo arco ganham o espaço entre os nossos prédios que, com suas formas côncavas, formam uma espécie de pátio interno. Deve ser algo imoral testemunhar um aprendizado tão incipiente vindo de um adulto, pois a melodia que sai do violino de meu vizinho é lenta e um pouco irritante, como se o aprendiz de música dissesse com suas notas tortas "eu sei, eu sei, mas preciso aprender, tenha um pouco de paciência".

Foi depois de dois meses, mais ou menos, que percebi uma evolução. As notas eram atacadas com mais agilidade e, da simples escala que subia e descia, meu vizinho estudante passou aos arpejos, primeiro com o acanhamento de sempre, depois com convicção. Não tive a sensibilidade necessária para notar sua evolução dia a dia, mas ela estava lá. Quando eu vi, já foi, os dedos reconheciam todas as notas dos principais acordes no braço do violino, e sabiam encontrá-las sem maiores discrepâncias em um instrumento não temperado.

Tive aí a súbita noção do passar do tempo. Não vi o mato ficar maior, não vi as rugas que brotaram em meu rosto, não testemunhei a mudança da posição do sol em relação ao zênite, não percebi meu próprio dinheiro chegando e indo embora com o fim do mês, mas percebi aquele violinista ficando melhor em seu hobby. Uma lição tanto doce quanto cruel. Onde estará esse violinista quando finalmente encontrar as novas rugas em meu rosto? Que parte de seu progresso estará tentando vencer quando os exames de rotina não trouxerem mais boas notícias?

Talvez continue, talvez deixe o violino de lado, impaciente com seu próprio progresso, invisível, quem sabe, até mesmo para si. Lembrará em algum momento de certa vez que tentou o violino e, quem sabe se recrimine, pensando no inconveniente para os vizinhos e do desperdício de seu próprio tempo com algo para o qual notoriamente não tem talento, em sua própria avaliação. Mas talvez continue. Talvez se torne um bom violinista, enquanto todos nós envelhecemos. Espero que sim.

O terrível bar de portinha

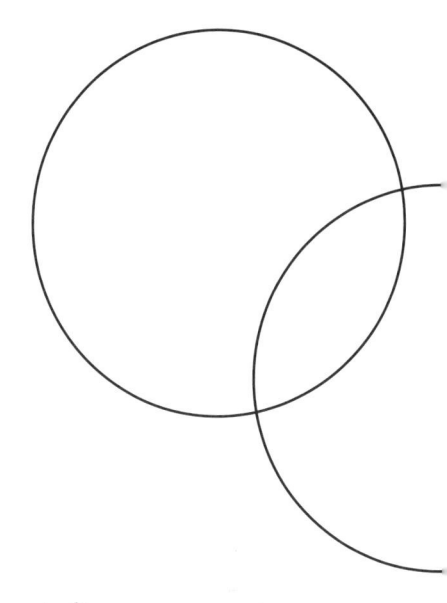

Dentre todos os exploradores do capitalismo, o que mais se destaca, com uma larga vantagem sobre os demais, é o dono de bar de portinha. Você conhece o bar de portinha: aquele cubículo de vinte metros quadrados em que um caixa e dois tiradores de chope trabalham num ritmo de *sweatshop* para abastecer uma calçada abarrotada de jovens sedentos, espremidos e de pé.

IPTU de imóvel grande, garçons, limpeza, manutenção de cadeiras e copos, ambientação, música ao vivo, uma mera tevê de plasma passando um futebol ou alguma bobagem vida-mansa-radical estilo Canal Off: nada. O bar de portinha mantém um negócio lucrativo com um pequeno painel de senhas, copos de plástico e duas caixas de som tocando uma playlist genérica de um plano gratuito do Spotify — os mais generosos colocam algum tipo de cerveja artesanal para criar um clima mais refinado.

E quanto ao público? Bom, o dono de bar de portinha conhece a necessidade irracional dos jovens de se colocarem em situações desconfortáveis em grupo e por horas a fio (você pode contar quantas pessoas com mais de quarenta anos você conhece que se dão ao trabalho de acampar com os amigos). Filas intermináveis em festivais alternativos, banheiros químicos, boates sufocantes, caravanas em vans fedorentas para shows em outras cidades e toda a cultura de albergue europeu sintetizam o espírito que torna uma calçada em frente a uma portinha uma mina de ouro.

Vento gelado, a dor nas pernas, o cheiro de cigarro para todo lado, o hip-hop melódico que ressoa das caixinhas alimentam o espírito de quem teme a velhice e foge da ideia de ter uma conversa civilizada, em voz baixa, sentado em uma mesa confortável e tomando uma bebida igualmente aprazível como se isso impedisse o passar do tempo. Se o sistema explora fraquezas, e nenhuma é maior do que o medo da morte, eu diria que estamos bem cobertos.

Alguém defenderá esse sistema com base na sinergia da calçada, o anonimato confortável da multidão, a vantagem econômica de se embebedar de chope artesanal com menos de oitenta reais. Alguém intercederá em nome da pequena iniciativa e invocará a altíssima taxa tributária brasileira, a CLT atrasada, o pato de borracha da FIEP, John Stuart Mill e a Virgem Maria. Tudo pode ser válido sob a ótica relativista e verificarão que este cronista será o primeiro a interceder pelo homem pequeno. Quem sabe até me encontrem no meio daqueles na semana que vem. Mas hoje, diante do frio desta noite em que escrevo, deste cansaço acumulado pelos anos, deste mercúrio retrógrado ou quantos mais misticismos sejam necessários para justificar os humores, meu reino é por uma poltrona acolchoada e uma boa garrafa de vinho. Pelo menos um coquetel bem-feito, vá.

Punk rock

O punk chegou à minha vida como uma revelação. Era possível fazer arte com a raiva, e era possível sentir raiva publicamente, e ter a sua raiva tolerada e compreendida por outras pessoas igualmente raivosas. Não apenas isso: era possível usar a sua raiva como força transformadora na vida de outras pessoas. E isso apenas com a expressão artística da coisa. O discurso, por outro lado, era ainda mais animador: longe de lirismos e preocupações etéreas sobre relacionamentos e abstrações de todos os tipos, as letras e os manifestos instigavam ao pensamento crítico e à subversão e, de uma maneira muito direta, apontavam os dedos furiosos para as mazelas do mundo e, por meio de pinceladas gerais, sugeriam a mudança.

Foi mais ou menos o que tentei fazer. Tomei consciência de algumas questões que precisavam ser resolvidas, li alguns livros, discuti ideias com pessoas certas, escrevi eu mesmo, mais tarde, alguns textos para a pequena comunidade punk (que começava a se corresponder via internet) e fiz uma banda para perpetuar o modelo. E foi aí que percebi algo que me fugiu das vistas durante todos esses anos: no geral, as pessoas que me incitavam a ser um cidadão mais cioso e menos alienado eram, elas mesmas, tacanhas que de alguma forma conseguiram dominar a arte de fazer um discurso genérico para incitar as massas. Abaixo o sistema, o governo é mau, político é ladrão, olhaí todos esses pobres passando fome, e essas guerras hein, os poderosos engravatados sanguessugas que mamam na sua mais-valia comem caviar, ganância é do patrão, e o lucro é do patrão, e nada ia além disso porque eu achava que não era o papel da música ir além disso mesmo. Mal sabia eu que o que não ia além disso era o intelecto dos garotões que disfarçavam inaptidão para a vida com desapego material. E fora do país a coisa era ainda pior, porque quem denunciava o sistema era parte indissociável dele.

A partir daí, criei um trauma intelectual com a música que me tortura até hoje. E não só com o punk rock. Qualquer cantor de qualquer gênero musical que eu vou ouvir precisa ser minimamente mais sagaz do que o cidadão médio, seja em versatilidade, em lirismo ou em discurso. Tenho o pé atrás porque aprendi que intenção e emoção podem ser emuladas, mas o intelecto pode ser no máximo mascarado, e temo um mundo em que artistas mais idiotas do que eu são admirados por pessoas a quem respeito.

A principal desvantagem disso, entre tantas outras, é a barreira intelectual que interponho entre a indústria e meu coração treinado contra a própria vontade para colocar em segundo plano a emoção musical. Deveria ser mais espontâneo, mais intuitivo, mais poético com relação à música, mas não consigo. O punk me ensinou a ser uma pessoa crítica.

Quero uma festa punk

Tomei a iniciativa de, sem qualquer tipo de coerção, ameaça ou suborno, ir a uma boate na semana passada. Logo em sua concepção, a ideia foi permeada pelo ineditismo que chega às raias do absurdo (onde ficam essas raias? Numa piscina olímpica? Queria ver algum dia o Michael Phelps nadando nas raias do absurdo), e como o absurdo e o ineditismo são dois dos pilares do tipo de literatura que eu aprendi a gostar em minha primeira juventude, decidi transformar a noitada em texto.

Vamos então às motivações: a boate em questão faria uma noite exclusiva com o tema "hardcore", e eu me senti impelido a buscar pela primeira vez na vida essa sensação que os jovens experimentam sem maiores arroubos todas as noites, que é entrar em um lugar e gostar da música que está tocando. Já faz um tempo que o hardcore não está entre os meus gêneros musicais mais ouvidos, mas é fato que o gosto adolescente raramente se dilui completamente na espuma dos dias — a menos, é claro, que se trate de um fã de música pop. De qualquer forma, fiz algumas contas de cabeça e concluí que melhor do que isso não ficaria. O hardcore é o último gênero que eu ainda escuto e que é barulhento o bastante para se tocar para uma aglomeração desordenada.

Ora bolas, vivi a época. Calcei minhas botas, a bermuda preta e o casaco de moletom igualmente preto, tal qual um orgcore de raiz. Faltou a corrente na carteira, de um arcaísmo tão extremo que um amigo chegou a sugerir certa vez que os jovens iriam pensar que quem tinha inventado aquela moda era eu. Enfim, o pacote completo do adulto feito tentando correr atrás do tempo perdido e que parece tão inadequado aos olhos do mundo quanto o molecote que desde cedo quer usar roupa social, gravata borboleta e suspensórios para simular uma erudição a partir do vestuário.

Bom, chego no lugar e está tocando Jimi Hendrix. Ok, ok, estão aquecendo os motores, não dá para soltar algum hit do Madball logo de cara. Pego um drinque e fico a postos na pista de dança, pronto para chutar cabeças e surfar por cima dos presentes em um mosh improvisado. Essa ilusão logo se dissipa. O lugar está entregue às moscas, tanto pelo horário precoce para qualquer tipo de festa quanto pela linha musical a ser seguida. Ademais, é uma balada. Qualquer comportamento minimamente desordeiro vai ativar a testosterona dos seguranças grandalhões, e aí seria capaz da coisa chegar realmente perto de um show do Madball.

Espero um pouco mais, entre Queens of the Stone Age e outras amenidades do tipo. De repente começa a tocar *96 quite bitter beings* do CKY. Incrível, o coração se enche e o sangue ferve com o riff sincopado que ressoa nas paredes e bate nos ouvidos indiferentes dos poucos que ali estão e que não compreendem o que está acontecendo. O clima esfria para mim e esquenta para a moçada jovem logo em seguida quando uma sequência de emocore arrebata a pista, que enche de súbito. Descubro que "hardcore" é só uma outra palavra para "punk limpinho", e nada parecido com Sick of it All vai chegar a tocar por ali naquela noite. Não me importo. Estou me divertindo como nunca em uma boate.

Finalmente, já perto da minha hora de ir embora, ouço, com o pensamento desde já no despertador despejando incômodo nos meus ouvidos depois da noite maldormida, as músicas que fizeram a minha adolescência. Rancid, The Offspring, algum punk irlandês, a vida é boa. Chuto e danço como um hooligan e tenho a leve impressão de que as pessoas ali continuam curtindo a música, mas com a metade da minha força vital. Talvez não signifique tanto para elas, mais ecléticas e afeitas ao ambiente que abriu uma exceção sonora naquele dia. Para mim, é a vitória.

Dou o braço para algumas pessoas e dançamos em rodas cujos pares se alternam, depois finjo esbarrar nas pessoas com uma violência simulada, uma imitação da coisa real. Estou feliz no mundinho sintético da música que sai direto de computadores em vez de guitarras e baterias, sinto que cheguei ao ponto de entender a empolgação da garotada com as casas noturnas. Aquela música me acolheu e aquelas paredes pela primeira vez me aceitaram. Canto a plenos pulmões, dou risada, bebo mais e chuto o ar como um caipira. Por meio da música, estou sempre em casa.

O dia em que a década de 90 acabou

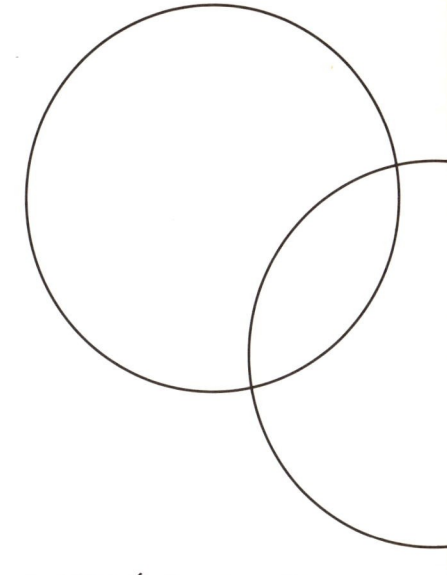

A década de 90 acabou em janeiro de 2001. É claro que não estou falando em termos cronológicos.

Eu estava lá, no dia em que a década de 90 acabou. Foi no dia 21 de janeiro de 2001. A Cidade do Rock estava lotada para o último dia do Rock in Rio, uma experiência de festivais que viria a ser consolidada nos anos seguintes com uma profusão e periodicidade até então inéditas no país. O headliner do festival era o Red Hot Chili Peppers, mas também haveríamos de ver Silverchair, Deftones e algumas outras bandas nacionais que não eram necessariamente importantes, mas calharam de viver o auge naquele momento.

O fim da década de 90 aconteceu no final da tarde daquele 21 de janeiro de 2001. A banda O Surto, uma corruptela cearense do estilo santista do Charlie Brown Jr., estava se apresentando no palco principal do festival, um momento histórico para o quarteto. Foi quando eles acharam que seria uma boa fazer uma espécie de cover-paródia da música de trabalho do Red Hot Chili Peppers. O refrão de *Californication* foi cantado como *Triste mas eu não me queixo*, seguida de uma letra sobre adversidades na vida do eu-lírico da canção.

Foi como acordar de um sonho. A multidão da qual eu fazia parte assistiu estarrecida e constrangida àquela desnecessidade. O Surto ainda representava parte da irreverência da década de 90, mas naquele momento a irreverência se viu nua e eximida da tolerância daquele período de livres expressões musicais, que abrigou em um curto espaço de tempo bandas como Mamonas Assassinas, Baba Cósmica, e Virgulóides, deu vazão ao manifesto Caranguejos com Cérebro do movimento Manguebeat, gerou debates sobre liberdade de expressão com o Planet Hemp e conciliou diversão e crítica social com O Rappa. Aquilo era demasiado. Era possível ver a noção do passar do tempo varrendo aqueles milhares de pessoas como um tsunami cósmico que desalinhou os planetas novamente. Aquela possibilidade estética da banda irreverente morreu ali, e, quando mais tarde surgiu na cena nacional Móveis Coloniais de Acaju, as pessoas já estavam todas nervosas e desconfiadas.

George W. Bush estava há poucos dias no poder, e o ataque às Torres Gêmeas em Nova Iorque validaria o tom de seriedade dos anos seguintes. Mas, naquela noite, todos voltamos para casa desanimados com a oficina de palhaços, com a banda de garagem, com as camisas de flanela e com os chapéus cata ovo. Estávamos burros e sérios. Não mais toleraríamos É o Tchan! e seus discos temáticos que estereotipavam outras culturas, ou o teutônico Lou Bega nos reapresentando ao mambo e à salsa, ou novelas com o Murilo Benício fazendo dois papéis ao mesmo tempo. Estávamos exauridos emocionalmente da década que nos deu liberdade artística às custas de nossa própria ignorância. Precisávamos nos sentir menos bestas, e compramos *Bloco do eu sozinho* como se aquilo fosse resolver todos os nossos problemas de analfabetismo cultural. Não resolveu.

Voltaríamos a estudar, não votaríamos mais nos mesmos, assinaríamos tevê a cabo e tentaríamos ser mais bem informados musicalmente com a ajuda do Napster. Chega de calças cargo e Austin Powers. Desmontaríamos o paradigma estético vigente e seríamos civilizados como os britânicos. Uma geração inteira caiu aos pés de embusteiros como Oasis e The Strokes como se pedissem abrigo político e salvaguarda contra a possibilidade de uma banda como O Surto repetir a atrocidade daquele 21 de janeiro de 2001. Nunca mais.

Ressaca negra

Essa ressaquinha felina que me invade neste lindo domingo é negra. Tira-me toda a pouca sagacidade que acumulei em vida e me convida a uma releitura nada lisonjeira do meu mal-acabado eu. Hoje não venho, não vejo, não venço. Não sou nada, nunca serei nada, não posso querer ser nada e sequer conheço Fulana, mas caso conhecesse, só despertaria sentimentos cristãos nela neste momento.

É negra. Como perder no Banco Imobiliário. A humilhação da dívida, a avenida que o banco te toma e a conta que continua não fechando. Além da capacidade. Negra, do negroni. Gin, Campari e vermute, uma rodela de laranja que, noves fora as boas intenções, nem por um segundo te deixa esquecer que é uma bebida alcoólica aquilo no seu copo. O negroni sozinho não é o problema, os cinco duplos que tomei ontem à noite parecem mais suspeitos do golpe. Foi súbito e inesperado. Uma hora estava sóbrio, conversador, distribuindo sorrisos e comentários amenos, e, em outra, tudo girava e nada mais iria ficar bem de novo. Por sorte já estava sozinho e livre para cair dignamente longe dos olhos de meus pares, como um leão velho que se retira do meio do bando para morrer em paz.

    Agora estou aqui e levantar pode não ser uma opção melhor ao quadro em que me encontro. O teatro é armado e as problemáticas, as promessas de campanha vazias, tudo soa verdadeiro e definitivo. Sei que daqui a pouco vai passar e a cafajestagem moral dará lugar ao franciscano que me olha do outro lado do espelho com olhos misericordiosos. Sei que o crime não compensa, mas que o mal sempre triunfa; que é preciso aprender com os próprios erros, mas que cachorro velho não aprende truque novo; que é preciso perseverar, mas a carne fraqueja.

    Todas as sabedorias populares, filosofias baratas e essa psicoterapia de beirada que realizo sem diligência e de forma breve nesta tarde modorrenta não trarão a redenção. Mas o que mais se há de fazer para passar o tempo que se arrasta entre as dobras do edredom? Uma crônica, talvez.

O vício de
ficar sozinho

A solidão é um vício dos mais intensos. O que a princípio parece angustiante — o silêncio diante do universo e a falta de afeto — logo se torna sinônimo de uma tranquilidade jamais antes experimentada. Quando atingimos a solidão plena, vivemos uma antecipação da calma pós-morte: a inexistência de problemas externos, as desobrigações da vida em sociedade e a desnecessidade do contato humano. Dormimos para o mundo enquanto a vida interior é só vigília.

Mais do que isso, exaurimos ao menor contato interpessoal, como se nos sugassem as energias vitais num simples bate-papo de elevador sobre o clima. Escolher as palavras, cuidar para não ofender as sensibilidades alheias, fingir interesse nas histórias mais desinteressantes e, acima de tudo, não parecer o esquisitão que nos tornamos por qualquer resquício de vaidade que eventualmente brote numa situação em que nos lembrarmos humanos é inevitável parecem esforços semidivinos em dias favoráveis a trocar o tumulto do firmamento pela solidão do mundo inferior. Todos estão felizes, aproveitando uma vida que, para nós, parece tão difícil de ser vivida. O *memento mori* traz de volta as ansiedades e preocupações. A vontade é correr para casa, trancar a porta e respirar no claustro. Eis o vício da solidão. A dependência química do silêncio das paredes sem resposta é igualmente proporcional à repulsa pelo que há do outro lado da porta da rua. Como Georges, no filme *Amor*, de Michael Haneke, enxotando o pombo que por acaso adentra o lar onde sua idosa companheira agoniza e definha lentamente, dizemos com nosso silêncio que aqui não há espaço para a vida.

Forçar uma saída parece tanto uma tarefa exaustiva quanto sem propósito. Não há esse tipo de vontade na solidão plena. Seria bom pensar que os amigos e as poucas pessoas que ainda nos amam se importam conosco mesmo não lhes retribuindo em nada, e a ideia de sermos amados não apenas basta como parece melhor do que experimentar o amor de perto. As pessoas normais dizem "agora que estou envelhecendo, estou ficando chato", mas não sabem que na verdade estão experimentando os primeiros baratos de um mal que é droga, mas também é câncer: metade nos alimenta, outra metade nos devora.

Natal na fazenda

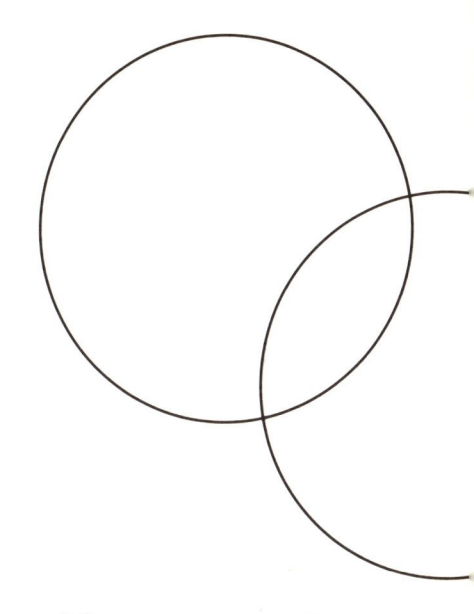

É Natal na fazenda. Nada de muito diferente na cena cotidiana, as famílias felizes são todas iguais, já dizia o conde. A diferença é que já vivem juntos o ano todo, então deixam para brigar por terreno no resto do ano. Eu pertenço ao ramo mais desgarrado da família e, desse ramo, sou meramente agregado. Sou parte da família que estaciona o carro na calçada do lado de fora da casa com amplo terreno aberto bairro adentro. Sou parte da família para quem confortos extras e a cortesia da falta de intimidade são garantidos na breve visita. Não sou da família.

Alguém mata um leitão e recheia com tutu. A grelha da churrasqueira trabalha incessantemente e cospe inúmeros *t-bones*. Um chester e saladas das mais variadas em vasilhas de plástico e travessas de metal ornamentam a ceia. Garrafas pet com cerveja caseira, vinho e suco resultante da colheita do ano são colocadas por cima de uma tábua de cinco metros estendida sobre quatro cavaletes, além do refrigerante para quem é de refrigerante. Os braços trabalham rápido transportando comida das estações de preparo para a grande mesa. Está tudo lá: o fogão a lenha, os insumos agrícolas sujos de terra no quintal, as hortas ao fundo, o trator no galpão, peças de metal enferrujado que são um completo mistério para quem não vive a lida. Não há música para além do falatório das mulheres e da gritaria das crianças. Os homens são calados. Respondem ao que lhe falam, mas guardam em si a dureza da carne que habita o campo. São cinco irmãos de pescoço vermelho, mãos grossas, olhos pequenos e rugas que franzem a cara permanentemente.

A matriarca da família, último elo com a geração de pioneiros que se instalou na terra, anda devagar com a ajuda de um carrinho de supermercado pela casa. Recusa andadores mais elaborados e senta-se igualmente calada num canto ouvindo a conversa das quatro irmãs que, ao final do almoço, empurram uma para as outras as sobras do que fizeram para a ceia. Começam a brotar sacolas e potes de margarina vazios que fazem as vias de tupperwares. Insistem para que eu prove pelo menos um pouco de cada sobremesa. Um bolo de chocolate, uma marta-rocha, um mousse de maracujá, o tradicional pavê. Alguém atira um osso para o cachorro sujo de terra vermelha que balança o rabo na grama quente do verão. As despedidas duram o bastante para que seja preciso se despedir uma segunda vez, tamanha a sensação de estranhamento que causa permanecer no recinto tanto tempo depois do adeus.

A viagem de volta para casa é curta, uma hora e meia pela rodovia, com dois pedágios no caminho. O porta-malas está repleto de roupas e comida, e uma caixa de amoras frescas colhidas nas terras da família divide comigo o banco de trás. Ganho bolo de chocolate e vinho, as cortesias da falta da intimidade. Querem tratar bem a mim porque devem tratar bem a família, mas sabem desde cedo, e Deus é testemunha, que não é sempre que se pode tratar bem o sangue do sangue. Por isso bebo, como, rio, aceito as piadas que fazem sobre minhas roupas e meu estilo citadino. Eis a parte que me cabe. A cada um o seu: sou da família.

Quando eu era inferno

Figura suburbana simbólica do carnaval carioca esmagada pela nacionalização da data, o bate-bola, também chamado de clóvis em algumas regiões do estado do Rio, era um bicho-papão possível e real da infância. As roupas coloridas e bufantes de cetim, a máscara assustadora com seus cabelos desgrenhados, a bola de plástico (anteriormente feita de vísceras animais) cuja batida no asfalto fazia um estrondo análogo a um tiro para quem entendia pouco de barulho, compunham para o espectador uma mensagem clara: era preciso correr. Correr do bate-bola foi o meu primeiro hábito paranoico bem fundado. O medo existia em suas várias formas: pesadelo, o pai bravo, o boneco do Fofão, o mar bravio que arrasta para o fundo, tantas lendas urbanas criadas para esse único propósito. Mas nenhum desses medos exigia mais do que certa cautela. Correr e se esconder dos bate-bolas, por outro lado, era um imperativo que exigia comportamento ativo de minha parte. O que acontecia com os que não corriam era algo que eu não me sentia tão curioso para descobrir.

Foi também com os bate-bolas que descobri que o medo e o fascínio andam mortalmente juntos. O contraste entre a máscara horrenda e as roupas vistosas era um convite à decifração de um mal que fugia à lógica estética a que tinha me habituado. Não sabia que o mal podia também ser belo. O mar não era mau, embora pudesse afogar. Era meramente força sem barreira, colosso natural de épocas imemoriais. A índole do bate-bola haveria de ser má, eu acreditava. A personificação de forças escuras, que excitavam ao olhar de relance precedido da correria pela vida que acelerava o coração.

Comecei a perder o medo de bate-bola quando enfim, em um processo freudiano dos mais vagabundos, me tornei um. Minha roupa bicolor vermelha e negra ornava com os cabelos presos à máscara de tela de arame que se assemelhava em muito a um capacete de esgrima. Minha estrepitosa bola azul e branca assustava as tias e quem mais estivesse por perto. Suava dentro do cetim, mas estava feliz com o mal introjetado, superado, compreendido, cooptado. Era a matéria-prima de meus próprios medos, violento e profano, belo e mordaz. Podia enfim me juntar a um bando de bate-bolas para não ser um monstro desgarrado. O proibido movido a adrenalina não mais seria meramente externo, seria também parte indissociável do meu eu carnavalesco. Ainda temia um pouco os bate-bolas mais velhos e mais altos do que eu e, por muitos anos, seria preciso guardar de forma bem hermética aquela roupa maléfica, que ameaçava plasmar horrorosas criaturas dentro de si. Mas estava para sempre mudado. Eu era inferno, era um engenho da escuridão e daquilo que se diverte em meio ao medo. Foi com a minha roupa de bate-bola que pela primeira vez fui demasiadamente humano.

Scheiße

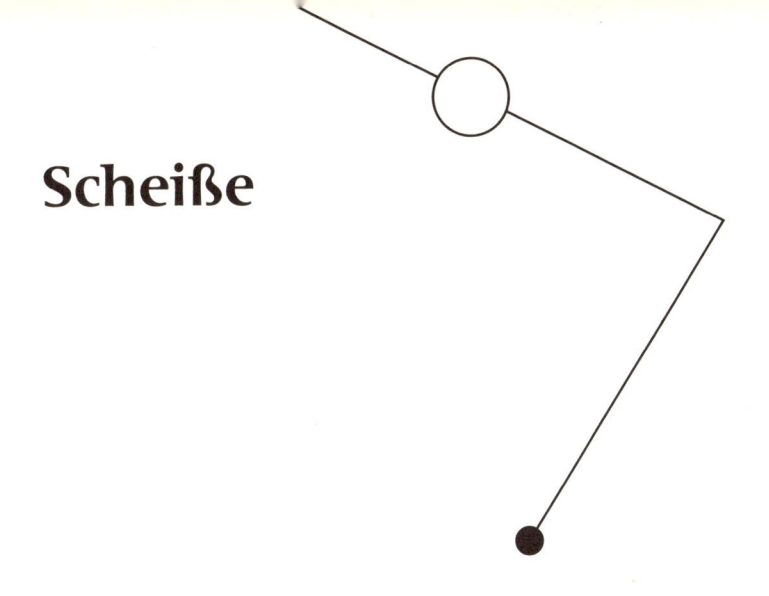

Se algum dia for preciso advogar a favor de minha maleabilidade diante das circunstâncias, que se relate esta anedota episódica que vou contar agora.

Logo que entrei na faculdade, quis aprender uma quarta língua, para além do inglês e do espanhol que acreditava já estarem em um patamar aceitável de comunicabilidade. Lá fui eu fazer a inscrição para o curso de alemão do Celin, o centro de línguas da Universidade Federal do Paraná, subsidiado para baratear os custos de semestralidade. Hoje informatizado, o Celin exigia uma paciência digna de uma tarde no Detran por parte do aspirante a aluno daquela época. Era preciso ficar horas em uma fila em busca de uma vaga. Nada de teste de nivelamento ou vestibular análogo: a maior virtude do pleiteante do Celin era sua capacidade de esperar em uma fila, que começaria a ser atendida às oito da manhã.

Cheguei para ocupar o meu lugar inocentemente às oito e meia, apenas para atestar o óbvio: havia um batalhão inteiro na minha frente. Gente que esperava por uma vaga desde as três da manhã, debaixo de sei lá quais intempéries da noite anterior. Pessoas mais obstinadas e menos preguiçosas do que eu ou, no mínimo, cientes da situação da matrícula, com certeza. Como havia várias turmas de alemão, não desisti. Alguma haveria de me servir, até porque o horário de um estudante universitário é flexível e ocioso pela maior parte da semana quando o curso exige pouco do intelecto. Senha numérica obtida, livro na mão, um mp3 player no bolso, hidratado, alimentado e, agora sim, resoluto a aprender alemão naquele semestre, não arredei o pé.

Lá pelas onze e meia da manhã — três horas na fila e a menos de meia hora para o fechamento do guichê de matrícula —, eu já sabia que não conseguiria uma vaga. Começava a me aporrinhar a ineficiência do sistema, a crueldade de suas circunstâncias, as privações que envolvem ficar numa fila por horas, para não falar no desperdício de tempo. Uma manhã inteira. Que coisa mais sem futuro era eu naquela fila interminável, eu lamentava. Foi quando, tal qual um deus ex-machina, alguém me estendeu um papel. Era um desistente, cansado da não atividade da manhã, me estendendo sua senha para que eu tomasse seu lugar. Milagre! A senha estava algumas dezenas mais próximas do que a minha. Seria atendido perto do encerramento da manhã, mas conseguiria ser atendido. Vibrei de emoção por dentro, palavras não expressariam minha gratidão. Seria um aluno do disputadíssimo Celin, um curso extremamente barato em comparação com outros. Conseguiria estudar alemão enfim.

O baque veio poucos minutos depois, quando, perto de ser atendido, descobri que aquela fila em que permaneci por muitas horas, um baile selvagem de emoções distintas, não me garantiria ingresso no alemão. Que os atendimentos do Celin são organizados de acordo por idioma, e que a cada dia um idioma diferente seria trabalhado na matrícula. Eu estava no lugar certo, na hora errada. Era o dia do francês. Scheiße! Francês, uma língua nojenta, falada naqueles filmes horríveis por aquelas pessoas igualmente horríveis. Nada da beleza rústica do alemão, nada daquelas palavras tão úteis para a filosofia, nada de nada. Estava ali, diante de mim, o ingresso para um idioma besta que só ele, com seus amontoados de consoantes impronunciáveis, seus biquinhos obscenos, seus erres pigarreantes, sua latinidade que recende a cigarro e madeira velha.

Pude ler algum Camus no original e compor algumas músicas engraçadas em uma língua secretamente engraçada, mas só. Nada desviará minha biografia jamais escrita da vez em que estudei quatro anos de francês por não querer pegar duas vezes a mesma maldita fila.

A impossibilidade do flâneur moderno

Às vezes, é verdade, certos temas dos quais passamos a vida inteira nos esquivando se mostram urgentes — não de uma urgência de ideias, o textão como agente transformador do mundo não faz o meu gênero, mas a urgência poética de um texto que precisa ser parido. Um eufemismo para ideia fixa aliada à falta de criatividades maiores, obviamente. Pois bem, evitei enquanto pude o subgênero da crônica contra-as-tecnologicas-e-a-sociedade-que-não-larga-o-celular, mas chegou a hora. Para minimizar os efeitos deletérios desse tipo de escrito prometo: 1) não usar termos cibernéticos com a falta de familiaridade peculiar dos cronistas (epa, cibernético pode? Nunca vi ninguém acostumado a mexer em computador falar em coisas cibernéticas. Também não vejo ninguém claramente não acostumado com smartphones falar em "mexer no computador". Acho que estou só me complicando nesses parênteses), como "like", "tuitada", "seguir de volta" e "dar match"; 2) colocar a robotização da humanidade como consequência lógica e natural de nossos vícios em redes sociais. De modo que o que teremos aqui nos próximos parágrafos será apenas uma breve observação comentada, uma droga leve diante das que andam vendendo por aí para alunos da ioga desesperados por retornar a um estado de humanidade do qual nunca saíram, mas também no qual nunca estiveram.

Eis o que queria comentar: o excesso de segurança pública mata a possibilidade do flâneur moderno. Esqueça o shopping center e se concentre numa utopia civilizacional digna dos sonhos mais umectantes de um terceiro mundista como é, digamos, o centro de Copenhagen ou Estocolmo. Zero assalto a mão armada acontecendo, nada de furtos, assédios, nada. Apenas a harmonia entre cidadãos assalariados indo e voltando de seus trabalhos. Os norte-americanos chamam isso de *commuting*, uma palavra que guarda em si uma semântica cruelmente fiel. Comutar, apenas isso. Ir de um lugar para o outro, mudar o cenário e nada mais é o que vidas desnecessárias fazem repetidamente. O que fazem essas criaturinhas libertas? Teclam enquanto andam, sobem os olhares apenas para se certificar de que não estão prestes a bater em um poste e voltam para suas vidinhas virtuais tão mais interessantes e felizes. Sem espaço para a contemplação. A vida que se espreita nas esquinas, as lojas nos andares de cima dos prédios que se descobrem olhando para cima, o vagar descompromissado da criação de Walter Benjamin: morto, morto e morto.

O que me dá impulso para o salto lógico a seguir: a observação nasce do medo. Somos a nação de flâneurs que somos porque precisamos ficar atentos. Os assaltos, os motoristas desgovernados, o lixo que se despeja impunemente na calçada são a pederneira que usamos para iluminar novamente o mundo ao redor. Quem é que anda olhando para o celular nas ruas deste país hoje em dia afinal? Estamos, sim, senhores, conectados à nossa realidade, reocupando as esferas do mundo, objetificando o universo, observando tudo de dentro, o triunfo do medo como reencantamento do universo. Parecemos flâneurs, mas estamos assustados. Entre um susto e outro, nascem as impressões sobre a vida, a habitação das cidades e crônicas definitivamente melhores do que esta.

A velha pele

A cronista Marleth Silva disse uma vez que mudar de cidade é como trocar de pele. Especialmente, mudar para uma cidade maior traz a alegoria para mais perto da realidade. Ou pelo menos assim queremos: a vila-exoesqueleto que deixamos para trás ainda pode servir para o corpo dos que ficam, a incerteza de se estar grande para ela até o derradeiro mistério da saída. Do mesmo modo, voltar à cidade que um dia foi tão familiar quanto a própria vida causa um efeito contrário: experimentamos uma roupa que não cresceu como nós. Detalhes se alteram numa paisagem sempre estática.

Uma rua que muda de sentido, um novo barzinho moderno, o mesmo pé-sujo em frente à mesma igreja. Abriram um shopping novo, mas já não deu certo. A pracinha onde continuam dando os primeiros beijos muitos anos depois da minha partida. Milhares de rostos desconhecidos passando por ruas que posso cruzar de olhos fechados. A normalidade da vida, os problemas do dia a dia que não precisam mais da minha atenção.

Em sua tetralogia napolitana, a escritora italiana Elena Ferrante faz sua narradora, Lenu, sair de sua pequena vila em Nápoles para estudar em Pisa. A personagem então passa boa parte de sua nova vida preocupada com a possibilidade de ser identificada como provinciana, pelo dialeto que não pode abandonar por completo, ao mesmo tempo em que procura demonstrar para seus conterrâneos que se tornou uma mulher cosmopolita e bem-sucedida. Enfim, Lenu anseia para que a experiência da mudança transpareça em todos os seus gestos. Deseja distinguir-se de um povo diluído na normalidade para mergulhar em outra diluição, enfim, quando sabe que não será nem mais nem menos do que é: uma mulher do interior morando na cidade grande.

Há, portanto, um deslocamento da própria identidade em uma transição como essa. Comigo a coisa acontece da mesma forma. Volto a visitar as ruas da cidade de onde morei rezando com toda a fé de que disponho para que Heráclito ainda faça sentido. Que Deus não me permita ser o mesmo me banhando nesse rio pela segunda vez. Mas, com a minha pele nova, contemplo a velha. Está gasta pelo tempo, mas ainda guarda o meu formato, minhas imperfeições, meus traumas e minha teogonia. Difícil ser turista na própria cidade, mais difícil ainda na cidade onde já morou. Tudo crava referência no passado. Melhor assim, penso. Antes revisitar o nó da estagnação do que perder a referência de vez. Essa rua já foi a minha.

Mar com sonhos de rio

O Bósforo é mar com sonhos de rio. Tem em sua menor largura apenas meio quilômetro e, mesmo onde suas margens opostas mais se distanciam, não faz frente a um Amazonas. Corta a cidade de Istambul, passando como passaria um escorredouro de águas, de uma nascente longínqua a uma foz reconciliadora com a fonte de todas as fontes, mas não: o Bósforo é a imensidão unida à imensidão, a fúria indomável com desejos de ser contida, de espiar a vida em cabresto. O Bósforo é a liberdade capturada em moldura.

É um tanto difícil aceitar tudo o que a geografia bizantina desafia à comprovação ocular dos fatos — das montanhas arenosas esculpidas da Capadócia às piscinas calcárias de Pamukkale —, mas o Bósforo permanece como um totem misterioso e tão cheio de poder que é capaz de separar não apenas mares, mas culturas e continentes inteiros, tão heterogêneos e longínquos quanto a imaginação é capaz de compreender. Nem Magalhães, Querche, Gilbraltar e Bering, nem mesmo o canal da Mancha ou o impressionante

Dardanelos — junto com o Bósforo, o outro escape do mar de Mármara, com saída para o Egeu — é capaz de invocar tamanho poder simbólico.

De um lado de suas margens, toda a cultura ocidental, a cristianização perene, os valores exacerbadamente humanistas, a democracia que atropela a si própria e o ceticismo devoto, signos sob os quais nos explodimos em guerras de cifras. Do outro, o oriente, a suspensão de toda a descrença, a reconexão com as forças da natureza, os dogmas que trotam por cima de vidas humanas e o berço civilizatório em todo seu esplendor conservado.

Separados por um mar que corta uma cidade, ela mesma o centro do mundo, palco de guerras e mais guerras travadas em nome de seu domínio. A rota marítima capaz de provocar uma sucessão sem fim de estadistas visionários, truculentos, zelosos e sonhadores, jamais titubeantes quanto à importância desse estreito. O Bósforo é mar dominado pelas margens. Dominar as margens do Bósforo é dominar tudo o que há para ser dominado.

E ainda assim, lá está ele, às vistas dos *istambulitas,* que há muito já o têm como fato consumado e irremovível. Seja um europeu de Sultanahmed ou um asiático de Üsküdar, um ocidental torcedor do Galatasaray ou um oriental fã do Fenerbahçe, todos olham o Bósforo apenas como um demarcador geográfico para a cidade em si e um empecilho a ser evitado na locomoção urbana. "A ponte engarrafou" ou "perdi a balsa de novo" escondem em seu manto de banalidade a natureza fascinante que delimita a extensão dos povos. Vizinhos de margens se acenam, se espiam, se amam e se cumprimentam, atravessam um mar para visitar amigos e parentes, passam por cima, ao largo e até por baixo, em vias subterrâneas de metrô. O mar, que sempre foi motivo para medos infinitos, canções, poemas, guerras e morte, em Istambul é apenas um rio caudaloso que não sabe ser outra coisa a não ser cidade.

Santa
Milena

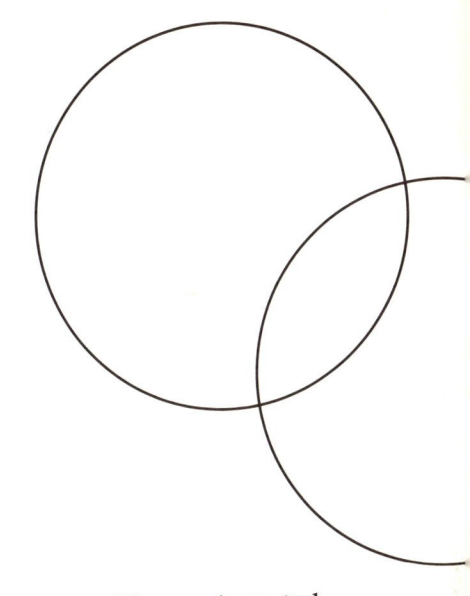

Conheci Milena em um dia quente em Tirana. A capital albanesa fervia com a visita do presidente austríaco Heinz Fischer e bandeiras e carros oficiais estavam por todos os lados, bem como a polícia e a imprensa. Ela havia dito que iria nos mostrar a cidade. Magra, com longos cabelos negros, um All-Star vermelho e uma camisa branca da Converse, ela era a encarnação da Albânia pós-Hoxha. Com seus vinte anos, se mudou da tediosa cidade de Lushnja para estudar economia em Tirana. Vinha de uma família muçulmana, mas não ligava para religião. Ligava para o rock'n'roll e gostava de cantar as melodias de fundo arábico e armênio da banda americana System of a Down. Dominava bem o inglês, o francês, o italiano e o espanhol, e entendia português perfeitamente porque aprendera vendo nossas novelas. Falava o albanês de Tirana, que era bem diferente na pronúncia do albanês de Kosovo, que foi o que eu aprendi e que, fiquei sabendo depois, era o albanês mais antigo que existia. Não conseguia entender o que ela dizia, era um albanês com sotaque americano, com erres retroflexos que enrolavam a palavra a todo instante.

Eu e Pat, minha companheira de viagem, passávamos os dias explorando Tirana e seus arredores, com suas florestas e seus castelos nas montanhas, e à noite me encontrava com Milena. Em uma dessas noites, jantamos uma bela caçarola de *tavë kosi*, um prato camponês que hoje é o meu favorito da culinária albanesa: pedaços de cordeiro imersos em arroz ao molho de iogurte, gratinados no forno. Ela falava com desenvoltura sobre a cultura albanesa e comentava seus gostos literários. Odiava o conterrâneo Ismail Kadaré, autor de *Abril despedaçado*, considerava-o muito em cima do muro durante a ditadura para quem, depois da queda de Enver Hoxha, atacou o regime com tanta veemência. Em compensação, gostava de *Os demônios*, o longo romance político de Dostoiévski, dificílimo para a maioria da população mundial. Estava em dúvidas quanto à faculdade de economia, era a alternativa mais viável para escapar da faculdade de medicina, que abominava. Era o desejo do pai, mas ela se julgava muito fraca emocionalmente para ser médica. Quis saber sobre seu pai e ela respondeu com a maior naturalidade que ele era chefe do serviço secreto albanês. Perguntei, não sem uma pequena tensão na voz, se ele estava nos vigiando naquele momento. Ela piscou um olho e disse para que eu não me preocupasse. Pais controladores têm filhas que sabem se esconder quando precisam, concluiu com um sorriso eivado de significados.

Depois do jantar, fomos até a pirâmide. O monumento em homenagem ao ditador albanês era pichado da base até o topo, e seus vidros quase todos quebrados. Havia virado uma casa de shows em alguma época, mas já havia encontrado o fim de seus dias de glória e permanecia no centro da cidade, uma aberração arquitetônica que servia, no máximo, de ponto de encontro. Escalamos a pirâmide pelo lado de fora, um pouco bêbados pelas taças de vinho, e contemplamos a cidade e a noite estrelada de seu topo. Lá em cima, usamos nossos celulares para iluminá-la e para tocar a *vallja e tropojës*, uma música típica da região de mesmo nome ao norte da Albânia que tem uma das coreografias mais bonitas do país. E então ela dançou, graciosamente saltitando e agitando os braços sobre o antigo mausoléu do ditador morto, enquanto lá embaixo repórteres cobriam alguma greve de professores. Não tiramos nenhuma foto que tenha ficado boa, mas gravei aquele momento e o resto da noite para sempre na minha memória.

Ainda passamos mais algumas noites juntos. Tomamos um porre, encontramos o melhor *tres leches* que uma doceria albanesa poderia fazer, entramos de penetras em uma festa de formatura e lutei sumô com seus amigos nas ruas silenciosas do bairro de Blloku durante a madrugada. Mas, depois disso, nos separamos e nunca mais a vi. Seguindo nossa viagem, eu e Pat eventualmente chegamos a Montenegro e à Croácia, onde os primeiros brasileiros começaram a aparecer. Não queríamos nos misturar e inventamos um país só nosso, para responder quando a fatídica pergunta de albergue viesse. Para todos os efeitos, não éramos brasileiros. Nascemos em uma pequena ilha caribenha chamada Santa Milena.

Atatürk

Chet Baker cantava o drama de se apaixonar muito fácil ou rápido demais. "My heart should be well schooled / 'cause I've been fooled in the past / still I fall in love too easily / I fall in love too fast", cantava o jazzista triste enterrado ao lado do aeroporto de Los Angeles. Posso dizer que, em toda minha vida, sofri desse mal algumas vezes — por pessoas. Aeroporto é diferente. Por aeroportos, tive apenas duas paixões, instantâneas e lancinantes, repletas de razões que meu coração encontrou com a velocidade de quem vive à flor da pele.

A primeira paixão de aeroporto foi o Schipol, em Amsterdã, com suas formas lógicas e placas amarelas sobre as quais, felizmente, não preciso me alongar, já que Alain de Botton se deu ao trabalho em *A arte de viajar*. Quero falar da segunda vez que caí de amores por um aeroporto. Foi pelo Atatürk, de Istambul.

Longe de estar relacionado a qualquer estrutura física de sua natureza, a calibragem da flecha do cupido foi a vida pulsante do lugar. Quando pela primeira vez cheguei ao aeroporto, para uma escala rápida, cheio de sono pelo fuso horário adiantado e cansado pelas agruras de se viajar na classe econômica, recebi um choque diante da babilônia que se descortinava em filas de migração. Tive a nítida constatação de estar no centro do mundo e na junção entre os distintos universos do Ocidente e do Oriente.

Como em uma harmônica savana, vi a fauna se deslocar em bandos. Australianos com suas papetes e cabelos loiros, indianos com seus topetes e bigodes sobre a pele marrom-escura, africanos de todas as etnias com suas batas coloridas, americanos idosos, jovens coreanos, cardumes de chineses, manadas de turcos, matilhas de italianos, cáfilas marroquinas. Mulheres ostentando decotes e outras escondendo cabeças com hijabs, ou corpos com xadores, ou tudo com burcas. Idiomas sonoros, hostis, áridos ou extremamente líquidos — às vezes áridos e líquidos ao mesmo tempo — enchiam o ar entre anúncios de partidas e reclames por passageiros atrasados. Pessoas perfumadas e inacreditavelmente fedorentas, de todas as formas, cores, tamanhos, costumes e culturas.

Ao fundo, no saguão de embarque, o imponente retrato de Mustafa Kemal Atatürk — não aquele de olhar morto, bigode e barrete turco da época em que comandava a campanha de Galípoli, mas o pai da Turquia moderna, patrono da secularização, cabelo lambido para trás e flor de lapela a contemplar o infinito, como um pôster banal de Frank Sinatra que decoraria a lareira de qualquer aficionado.

A multidão específica embaixo daquele quadro específico é a foz de milênios de história antes e depois do instante presente, das invasões goturcas aos mandos e desmandos de Erdogan; das expansões de Suleiman às chacinas dos três paxás; as vitórias sobre as cruzadas e as derrotas da Grande Guerra, a essência das civilizações ocidentais e orientais. Todo aquele som, toda aquela gente, um turbilhão que se encontra e se despede tão facilmente quanto a decolagem de um Boeing. Em meio às gritarias e aos passos apressados, não tenho dúvidas: Constantinopla ainda é aqui.

A hospitalidade sérvia

Se me perguntassem qual é o povo mais amigável que eu conheço, diria que é o povo sérvio, e contaria uma história. Ela começaria assim: eu estava em Budapeste em um dia modorrento e descobri um serviço de trânsfer chamado Geo Tours. Por módicos vinte e cinco euros (não tão módicos naquela região, mas vá lá), uma van apanha o passageiro onde ele quiser em qualquer localidade na Sérvia ou em qualquer país vizinho, e o deixa no endereço que desejar dentro do país de Slobodan Milosevic. Para quem mora no Brasil e admite histórias de terror envolvendo turistas e vans como parte do fabulário de sua cidade mais turística, a coisa parece muito suspeita, principalmente se vinte e cinco euros soam como merreca diante de um serviço exclusivo desses e se as imagens do massacre de Srebrenica e de filmes de mafiosos sérvios ocupam sua mente desde criança.

Mesmo assim, resolvi arriscar e agendei, via e-mail, uma viagem para aquela noite. A resposta lacônica veio pouco tempo depois: "Espere no seu endereço entre onze e meia e meia-noite, estaremos aí". Sem tempo para interpretar entonações em uma mensagem escrita, me concentrei no problema real que tinha em mãos: Marina, minha anfitriã em Belgrado, não poderia me receber no momento em que a van chegasse à capital — ali por volta de quatro da manhã, um horário desaconselhável para se perambular nas ruas de um país desconhecido, diga-se. De maneira que recorri às mensagens de um sérvio que havia me escrito há alguns dias, quando manifestei na internet minha vontade de visitar Belgrado. Alexsandar tinha olhos vítreos, cara de combatente e vestia um casaco militar surrado em suas fotos, mas parecia uma boa pessoa, então lhe expliquei minha situação. Para minha surpresa, ele disse que não havia problema nenhum da parte dele, mas que talvez houvesse da minha. Ele morava em Nova Belgrado. Não foi difícil concluir a partir da regra brasileira. Qualquer lugar que se chama *Nova alguma coisa* é necessariamente uma versão afastada e barra-pesada da antiga. "Diga ao motorista que eu moro no Blok 72, ao lado do café. É melhor explicar, porque nem os correios conseguem se achar direito por aqui", me escreveu Alexsandar. Ele morava na rua Yuri Gagarin (Jurija Gagarina, na declinação iugoslava), e achei espirituoso ficar algumas horas e ver o meu primeiro nascer do sol nos Balcãs na rua que algum prefeito usou para, assim como meu pai, homenagear o cosmonauta russo. Mas estava achando aquela conveniência toda muito suspeita. Graças aos meus conterrâneos, fui bem acostumado à malícia humana.

Às onze e meia, desci as escadas do prédio velho que me abrigou durante alguns dias na rua Teréz Korut e, de fato, havia uma van branca com o pior estereótipo sérvio possível: um sujeito careca, mal-encarado, com um brinco de argola e moletom cinza e roxo da Adidas falando em um inglês horroroso: "Geo Tours? My name Vlad. Come, come, no problem". Algum assustado que só sabe sentir cheiro de roubada teria dado meia-volta e fingido que o lance não era com ele, mas não dá para viajar como eu viajo — quase sem dinheiro e contando com a hospitalidade de estranhos — tomando susto toda hora. Sinto decepcionar quem esperava o pior: Vlad era um cara legal, e conversamos sobre a estrada e sobre a época da guerra, enquanto outros quatro passageiros apanhados no aeroporto Férenc Liszt babavam nos bancos de trás.

Eventualmente também cochilei, e acordei com Vlad me batendo no ombro e dizendo "Jurija Gagarina here". Desci em um cenário inóspito: para onde quer que eu olhasse, imensos blocos habitacionais, semelhantes a uma cohab, todos cinzas e escuros. Ruas desertas de aspecto hostil e um vento gelado cortando a cara. A van me deixou e seguiu viagem. Já eu não sabia para onde ir. Permaneci com uma cara de perdido durante alguns minutos antes que um sujeito de roupão aparecesse por trás de um dos prédios e me chamasse enquanto ria da minha situação desoladora de turista perdido na quebrada de Belgrado. Era Alexsandar.

Passado o clima desnecessário de terror adolescente que tentei criar nos parágrafos acima, um resumo: Alexsandar me esperava com roupas de cama limpas e vários cobertores em um quartinho nos fundos do apartamento dele, me deixou dormindo por mais três horas, me ofereceu café da manhã com burek e café turco — que basicamente se faz jogando o pó não solúvel na água fervente e desejando boa sorte —, me explicou que todos os criminosos de guerra julgados em Haia já se esconderam em seu prédio, pagou minha passagem de bonde até Belgrado, já que eu não tinha um mísero dinar comigo, e me levou para conhecer o histórico bairro de Zemun dias depois. Na casa de Marina, uma cigana que estudava japonês, a generosidade se repetiu. Ela e Nebosja, seu companheiro de apartamento bósnio, até baixaram os episódios de *Game of thrones* que eu tinha perdido durante a viagem para que pudéssemos ver o episódio novo juntos. Na rua, qualquer informação que eu pedisse era uma nova amizade em potencial, e bebi a rakia, um destilado à base de ameixa ou marmelo de 51% de graduação alcoólica, com muitos desses desconhecidos. As mulheres se encantavam comigo e, em cada noite que passei na cidade, tive uma companhia diferente para conhecer um novo canto da cidade, novos amigos e novas histórias.

Deixei Belgrado em uma quarta-feira chuvosa em direção a Kosovo. Era o começo da maior enchente já registrada na história do país. Em outros lugares, me disseram que o sérvio não é esse povo amigável que eu encontrei, que são perversos, criminosos e que, se você é negro, homossexual ou mulher desacompanhada, é altamente desaconselhável andar em algumas partes de Belgrado de madrugada. Devo ter dado sorte, porque ouvi a advertência, mas não computei. Deixei parte do meu coração na Sérvia com essa minoria pós-graduada na hospitalidade do pós-guerra.

A hospitalidade russa

Nada é tão simples na Rússia. Seus códigos cifrados, sua carnavalização sisuda e suas indiferenças a valores caros ao resto do mundo são efeitos da complexidade da alma eslava. Por isso é quase sempre muito custoso para um ocidental se aclimatar ao país. Por exemplo: Emmanuel Carrère, encantado pelo poeta Eduard Limonov, passa sua narrativa biográfica experimental em franco duelo com o próprio coração. Cada nova demonstração de baixeza moral por parte do russo desespera o francês, que não consegue conceber as matizes cinzentas que enxerga em tão abjeto biografado.

Boris é, por inteiro, a complexidade do homem pós-soviético, e por causa dele também tive minhas querelas sentimentais carrèrianas. Quem diabos era aquele homem de olhos doces disposto a me hospedar em seu cubículo nas redondezas de Filyovski Park naquela terça-feira à tarde afinal? Meu coração que se inquieta diante do diagnóstico incerto perguntava a todo momento. Um neonazista? A cabeça raspada e a águia na fivela do cinto me diziam que sim. Sua calorosa receptividade a um terceiro-mundista da selva, em suas próprias palavras de gentileza duvidosa, por sua vez, me intrigava. O nacionalismo ferrenho contrastava com seu ódio a Putin e sua predileção militaresca pela ordem e pela limpeza dentro de casa não condizia com seu gosto por secretamente brindar em público aos inimigos de Stalin e invadir prédios abandonados para explorar os terraços com as melhores vistas de Moscou. Odeia figuras autoritárias tanto quanto a liberdade e a diversidade, muito embora o antissemitismo, o racismo e a homofobia sejam traços comuns ao russo médio.

Sua afabilidade não combina com as frases firmes e constrangedoras sobre gays, imigrantes e, principalmente, judeus. Considera abominável ter filhos mestiços. Considera mestiços como negros. Considera não europeus como negros. Diz que, a seus olhos, minha palidez de jovem Werther não me faz uma pessoa branca. Sou um negro e, entretanto, cá está Boris indisfarçavelmente feliz, tentando me mostrar tudo o que há de interessante e secreto em Moscou. Não com ares de superioridade civilizatória, mas com um orgulho moribundo de uma imagem artificial que nunca chegou a se configurar. Como brasileiro, entendo disso. Tento me esquivar de sua casa e de suas falhas morais alegando um provável incômodo, como é costume em meu país, mas ele não me deixa. "Você não está numa casa judia", protesta, celebrando seu preconceito e sua hospitalidade ao mesmo tempo. Arruma desculpas para todos os seus soluços da alma. À bandeira confederada que ostenta no quarto associa o filme *...E o vento levou*, um de seus favoritos, segundo ele próprio. O antissemitismo é explicado por Dostoiévski, de quem se considera um discípulo cego. Assim é Boris. Em um momento, discursa a favor da cultura e debate longamente com seus amigos ainda mais obtusos que afirmam que livros são o ópio de países atrasados. Em outro, destila ódio por chechenos e caucasianos. A ele, só importam os russos e a Rússia. Bebe vodca no jantar como seu próximo, mas se abstém do sexo como um bom cristão ortodoxo, e jura que a falta de companhia à noite não lhe fez falta nos últimos sete anos. Meu desconforto em sua presença e o medo instintivo de me ver associado à sua visão de mundo me impediam de reconhecer o cuidado fraterno que me dedicava.

Boris não é uma pessoa fácil, e parece mais fácil condená-lo de uma vez do que tentar entender sua personalidade. A cabeça russa funciona alheia aos nossos conceitos de civilidade, às nossas noções de diversidade e respeito, ao nosso mundo ocidental tão perfeitinho. Ele deixa entender que só é assim por causa de seus vizinhos de país — povos arruaceiros desde os primórdios da história — e sabe que sua mentalidade ainda será a ruína do país, porque reconhece que o código masculino da Rússia não faz nada pelo país a não ser os recordes por morte de briga de faca e porrada de rua. "Ah, gente russa! Não gosta de morrer a própria morte", relembraria Gógol diante de uma expectativa de vida que não passa dos sessenta anos. Tem a educação siberiana como rochas pesadas por cima de seus claros e reprimidos desejos de miscigenação e cosmopolitismo. Não sei do que Boris irá morrer. Não sei nem de que irá viver.

A briga dos dois Nikolais

A história da literatura russa, para além de seu significado absoluto, é também a história de suas atribuições ao longo do tempo. Não são poucos os escritores que ganharam novas importâncias conforme a época e o contexto político da Rússia. Tolstói passou a ser um escritor de universalidades a partir de sua preocupação com as desigualdades sociais; Górki, de burguês da geração de prata, emergiu como verdadeiro representante de seu povo durante a época de Stalin; Solzhenitsyn, com seus diários do gulag, se tornou a voz da resistência contra a opressão soviética; e Limonov, de revolucionário de espírito livre, é hoje o palhaço político que arranca algumas risadas de quem acompanha o noticiário russo.

Em Moscou, duas estátuas do escritor Nikolai Gógol contam a história por si só. O escultor Nikolai Andreiev foi responsável por fazer o monumento que seria inaugurado no Boulevard Gogolevsky em 1909, centenário de nascimento do autor de *O capote*. Andreiev, entretanto, chocou ao retratar Gógol em toda sua decadência. O escritor aparece curvado, sombrio, coberto com um longo capote, doente e franzino, como passou a ser visto pelos estudantes que sentavam no mesmo boulevard para ver o mestre passando em direção à casa em que viveu seus últimos anos.

O escritor, que fez pelo espírito nacional em sua prosa o que Alexander Pushkin fez em versos, não poderia ser lembrado como a pobre alma atormentada que se matou de fome em 1852, ponderou assim Stalin. Um novo monumento em homenagem a Gógol foi erigido no lugar do antigo, desta vez no centenário de morte do autor. A criação de Andreiev foi realocada no Boulevard Nikitsky, no pátio da casa em que Gógol viveu seus últimos dias e que hoje serve como um estranho museu em sua homenagem.

A nova estátua, feita por um terceiro Nikolai — o soviético Nikolai Tomsky —, mostra o escritor ereto, de ar heroico, com um livro na mão e vestimenta impecável. Letras douradas na base de granito dizem aos transeuntes "Para o grande artista russo das palavras, Nikolai Gógol, do governo da União Soviética, 2 de março de 1952".

A imponência da nova estátua e as palavras em letras douradas impressionam pouco o moscovita que passa pelo Boulevard Gogolevsky hoje em dia. A estátua antiga ainda mostra a face real do autor e dispensa apresentações. Em sua base, não há inscrição a não ser uma palavra, que, para qualquer amante da literatura, há de bastar: Gógol.

Meu capote soviético do mercado negro de Riga

Estou com frio, e o casaco mais quente que eu tenho atualmente no meu armário é um sobretudo original do exército soviético que pesa seis quilos, tem alguns botões a menos, é afunilado na cintura — dando a ele um ar desnecessariamente feminino — e guarda em si um cheiro de velho que não sai nunca, nem com as várias lavagens que já fiz.

Cinco minutos depois de vesti-lo, já sinto a dor nos ombros e na nuca. É o peso do trambolho que trouxe na mala de uma viagem à Letônia que fiz há dois anos. Riga, a capital, já foi um porto glorioso no Mar Báltico, mas hoje vive do decadente centro histórico e dos baladeiros da região que encontram ali algumas das mulheres mais bonitas da Europa. E, o clichê não se nega, uma forte indústria de drogas e prostituição sustentada pela máfia russa — etnia que compõe quase metade da população do país. O centro da máfia fica em um bairro chamado Maskavas Forštate, "pequena Moscou", ou "subúrbio moscovita", originalmente um gueto judeu, hoje ocupado por russos e bielorrussos.

É lá que fica o mercado negro russo, uma atração turística bem estabelecida repleta de mercadorias de procedência duvidosa, onde você pode ter a sorte de comprar de volta o seu celular furtado pelas ruas do centro histórico. A recomendação para os turistas é sempre a mesma: não ir sozinho e, acima de tudo, não ir à noite. De preferência, não ir.

Visitei o subúrbio moscovita em um domingo à tarde, quando estava decidindo o que fazer na cidade. Marko, um eslovaco que havia corrido uma maratona na cidade um dia antes, disse que sabia o caminho para o mercado negro, e pedi para que fôssemos até lá. Não era muito distante de onde estávamos afinal. Marko falava algumas coisas em russo para além do meu conhecimento na língua eslava, que era bem pouco, então ele poderia ser bem mais útil do que uma agradável companhia em uma cidade muito difícil de se viver sem uma agradável companhia.

O mercado negro era uma visão e tanto. A princípio, não diferia muito de um pátio de ferro-velho, com barraquinhas de lona e ferro instaladas por toda parte. As mercadorias expostas logo na entrada eram triviais — ferragens de banheiro, ferramentas e peças de carro e moto. Andando mais para o fundo, porém, começavam a aparecer celulares com as telas riscadas, computadores portáteis com as laterais rachadas e videogames de última geração cobertos de poeira. Os vendedores — homens e mulheres — eram todos muito feios e mal-encarados, mas nada bateu a visão que encontrei ao fundo do pátio.

As relíquias de guerra ficavam junto a uma parede, em duas barraquinhas contíguas. A mais vistosa era administrada por um sujeito que parecia ter saído direto de um filme: alto, forte, careca, com camisa polo preta de mangas curtas, calça jeans e botas elegantes, luvas de couro pretas, arremessando uma faca pontuda em uma tábua na parede, ao lado de onde ficavam expostos os uniformes militares. Ele parecia estar discutindo com um amigo, um sujeito feio e gordo como os outros, algo sobre a faca que estava sendo arremessada, porque a cada arremesso fazia uma constatação. A propósito: a faca nunca cravava na tábua. Ela quicava na parede em um ângulo estranho e voava longe — algumas vezes nas barracas de outras pessoas. E ninguém reclamava.

Uniformes de infantaria, de marinheiros e de oficiais estavam todos em cabides velhos em uma parede, e perguntei ao careca de luvas de couro sobre o capote que hoje está nas minhas costas. Ele disse que não poderia fazer por menos de dez lats, algo próximo de quarenta e cinco reais na época. Uma pechincha. Pedi para experimentar e ele tirou o casaco da parede, discretamente sacudindo e pisando em uma aranha amarela gigantesca que estava descansando na parte de trás da vestimenta. Assim que vesti o casaco, senti seu peso e suas mangas molhadas. Num misto de inglês ruim, russo ininteligível e mímica desajeitada, ele me explicou que as peças de roupa tomaram muita chuva no dia anterior.

Pensei um pouco sobre o assunto e, enquanto isso, dei mais uma olhada no expositor do quiosque improvisado. Medalhas, armas e equipamentos como capacetes e óculos estavam disponíveis para colecionadores e curiosos sem impeditivos capitalistas morais como eu. Perguntei sobre um vistoso punhal que estava num estande, mas ele, num gesto de honestidade raro entre os russos da Letônia, me disse que aquilo era uma réplica, mas que havia um punhal de cerimônia original que custava a bagatela de oitenta lats. Os dois, eu viria a saber, haviam pertencido a agentes da SS. Ele colocou o punhal na cintura e imitou um nazista desfilando com ele. Foi uma imagem bem convincente.

Decidi por fim levar o casaco. Paguei os dez lats e recebi a peça enrolada em um saco gigantesco de plástico rústico e quebradiço. Antes de ir embora, ele me disse alguma coisa que não entendi. Marko traduziu para mim: "Deixe para usar isso apenas no seu país".

Janela para o real

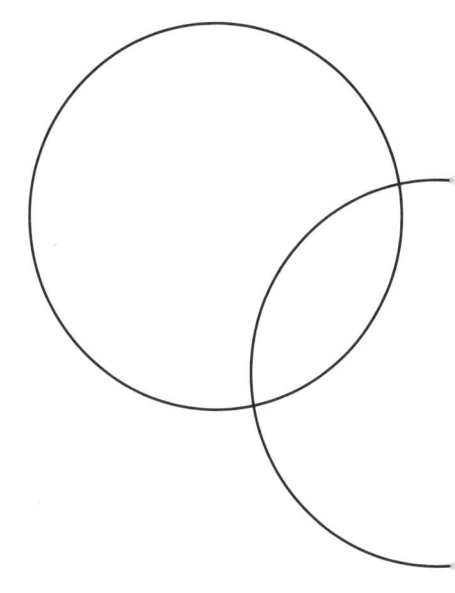

Quando viajamos para outro lugar — e esse lugar não é a Rússia, com seus quartos herméticos —, ganhamos uma janela. É por ela que podemos observar, retirados, a vida que acontece na cidade que não é a nossa. É diferente de ver o que acontece durante um passeio por suas ruas. Comparando os afrancesamentos, o flâneur é um etnógrafo, o voyeur é mais um teórico da coisa. Cientista quântico da vida, o que espia pela janela observa sem ser um observador.

Penso nisso enquanto vejo a rua Anderson deserta pela minha janela de Joanesburgo. O asfalto desocupado sob a luz dos postes, entrevisto pela cortina pesada que afasto com os dedos, me diz com toda sua textura limpa que o centro da capital comercial da África do Sul é morto depois que escurece. Diferentemente da Cinelândia narrada por Ruy Castro, nem anjos ousam desfilar pela região às sete horas da noite. Os sul-africanos vão para casa cedo para valorizar o tempo com suas famílias, diz a brochura turística que camufla paranoia com projeto coletivo de bem-estar social. Joanesburgo é a cidade sem lei, em que só o latrocínio garante algum tipo de atitude das autoridades. Nenhum músculo será movido para interceder a seu favor caso, em uma esquina qualquer, você de repente se pegue com a barriga encostada na ponta errada de uma faca.

Um táxi já é oferecido com veemência logo na recepção. Pergunto ao porteiro exatamente o quão perigoso é andar por ali naquele horário, umas cinco da tarde. Ele me sugere sentar antes de ouvir a resposta. Veja bem. Com mais volutas do que uma casa rococó — para que eu não fique com a ideia de que visitar a cidade é uma ideia estapafúrdia —, ele me diz que eu posso andar por ali, mas que ele não pode me garantir coisa alguma. Evite andar pela cidade a pé. Evite andar pela cidade. Evite andar. Evite a cidade. A cada baixa de luminosidade no fim do dia, a probabilidade de um assalto aumenta de maneira exponencial. Esconder as joias (que joias?), esconder a câmera (que câmera?), não andar com dinheiro (que dinheiro?) e não parecer turista (não pode andar de bermuda?) são os conselhos mitigadores que ele me dá. Uma volta por cinco quarteirões é o bastante para compreender que ninguém com boas intenções está à vontade por ali. Mulheres andam agarradas às bolsas, homens olham para os lados o tempo todo, há grades nas portas e nas janelas e os passos são sempre ligeiros. Occupy Wall Street? Fila para o show do Justin Bieber? Baudelaire flanando pela Marshall Street é Van Gogh pintando em Santa Ifigênia. Sem chance.

Resta a janela. Resta a espreita. Eis o real de Badiou. Aquele que só pode ser entrevisto, aquele que só se confirma como verdadeiro quando verdadeiramente terrível.

Aquele que a cortina afastada mostra às oito horas da noite. Joanesburgo carece de seus cronistas noturnos porque todos se enfurnam evitando a potencial violência. Sai a cidade ocupada, entra o espaço tenso de passagem, o mal civilizatório necessário. Uma facada, uma rajada de balas da janela de um carro que passa, um espancamento coletivo, um tiro no meio da cara, a imaginação voa longe diante da possibilidade de andar três quarteirões que sejam dessa vazia rua Anderson. Nove em cada dez é a chance de algo acontecer, dizem os motoristas e porteiros. Não vá. Não ande. A contemplação aristotélica da vida que não está ali é o remédio dos aventureiros cujos corações ainda não foram completamente dominados pela intemperança.

O saco de papelão do delivery se amontoa num canto do quarto de hotel que faz as vias de pequeno aterro sanitário. Garrafas de vinho sorvido, sacolas de mercado cheias de embalagens vazias, o cárcere que se torna confortável. Fácil acesso a tudo o que o dinheiro pode comprar, menos a tranquilidade democrática do passeio sob os postes e as estrelas. O que temos para hoje.

Certa vez, conversei com uma mulher que havia conhecido Dubai. Perguntei como era. Ela disse que era incrível. Muitos shoppings lindos para visitar. Shoppings lindos. Odiei ela na hora. Depois fiquei sabendo que o clima de Dubai não permitia muitas atividades ao ar livre, especialmente durante o verão. Jamais me imaginei turista de uma cidade como essa, mas eis-me aqui em Joanesburgo. Uma ilha diante do real. O que posso dizer sobre Joanesburgo é que lá tive uma janela. Ao menos uma janela.

Kurat

Soube que Madis e Kaysa eram estonianos porque vi a bandeira costurada na mochila e minha obsessão vexilológica é muito maior do que meu ouvido para detectar idiomas. Não fosse o gosto por bandeiras, talvez não soubesse identificar a nacionalidade afinal. O estoniano é uma língua complicadíssima, irmã do finlandês e parente distante do húngaro, com catorze casos gramaticais, palavras curtas — um radical pode ser constituído por uma única letra — e sem um tempo verbal futuro sequer. Ficaram felizes pelo reconhecimento da bandeira, com sua paleta invernal, mas talvez mais ainda pela ininteligibilidade do estoniano aos meus ouvidos. Enquanto dobravam roupas sobre nossos beliches em um albergue vagabundo na plage Opera, na riviera francesa, me contaram que adoravam falar estoniano em viagens porque sabiam que, tirando alguns poucos russos, finlandeses e os próprios estonianos, ninguém jamais os entenderia. O idioma nativo, fora da terra, se metamorfoseava em um inescrutável código secreto.

Comecei, eu também, a tomar gosto por fazer do português o meu idioma secreto de viagens a partir daí. O hermetismo da lusa língua não fazia frente à muralha fino--úgrica, é verdade: não só o planeta estava (e ainda está, constato) apinhado de lusófonos como também a raiz em comum com tantos outros idiomas românicos fazia rombos cognatos em meu bunker. Ainda assim, tal qual um motociclista a duzentos quilômetros por hora, eu apostava no bom sucesso do previsto, e nunca na exceção.

Funcionava. Quando uma viagem em conjunto, a ponderação diante da compra, os avisos de cautela diante dos golpes, o comentário malicioso para sempre impune: o português, essa trincheira contra o caos que há fora. Blindado pela obsessão de Antonioni, sempre a palavra em língua comum pensada previamente e em voz alta.

Como não se pode conceber segurança sem conceber juntamente alguma noção de conforto, voltar para casa, pouco a pouco, ganhou o irritante inconveniente de perder meus escudos. Uma língua secreta sempre será, afinal de contas, meramente circunstancial. Falar em voz alta qualquer bobagem, ciente da recepção múltipla da mensagem, traz um aborrecimento. Deixo o modo incógnito do lado de fora do embarque do avião, onde já é possível entreouvir os sons, os sotaques, a prosódia da pátria-amada, salve, salve, maldita. Eu, que dependo da capacidade de me comunicar, resisto em voltar à compreensão comum, como quem não quer voltar de férias. Olho para os lados, para todos aqueles ouvidos afinados para o português, nosso agridoce cajado ibérico, e me quedo resoluto, mas brigado com a vida. Kurat!

— Falou comigo? O que é kurat?
— Nada não.

O som
do silêncio

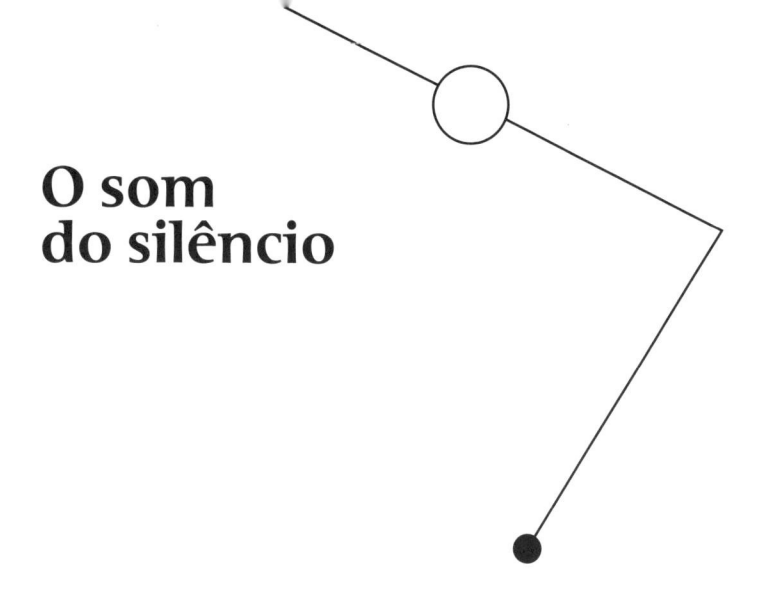

De todas as possibilidades que nunca terão lugar na realidade, lamento muito não haver festas silenciosas. No espectro linear entre barulho e silêncio, tenho, com o passar dos anos, caminhado a passos curtos — mas decididos — em direção ao último. A algazarra, que jamais combinou completamente com meu estado de espírito, tem sido cada vez mais motivo de mortificação por minha parte, a ponto de questionar a genuinidade de quem se abandona ao movimento das massas eufóricas em qualquer comemoração coletiva ou aglomeração voluntária. Como podem, como ousam, como conseguem?

Grande fenômeno social estudado no século 20, as massas foram louvadas no início por seu grande potencial transformador. Os inaudíveis ganhando voz, os minúsculos formando corpo, a vez de exaltarem os humilhados e ofendidos — era, sem dúvida, uma novidade excitante. Não demorou nada, na verdade, para que a bibliografia a respeito mudasse radicalmente o tom otimista. Elias Canetti, Ortega y Gasset e Peter Sloterdijk enxergaram no "pretume de gente" o pior do ser humano se sobressaindo. A barbárie, a planificação das qualidades, o apagamento da temperança. O senso dito comum difere radicalmente do senso qualificado como bom dentro do contexto de multidão. As massas são acéfalas e violentas, diziam os filósofos enquanto analisavam a experiência nazista da década de 30. Pouco se falou do barulho, entretanto. A predisposição do ser humano, em especial o jovem ser humano, para se colocar sob condições ruidosas e desconfortáveis só pode ser expiação da culpa de ser uno em uma sociedade que exige integração e comunicação como indicativos indispensáveis de boa saúde. O silêncio, a privacidade e a solidão não apenas passam a ser novas e urgentes necessidades como também ganham ares luxuosos em cidades inchadas e ruidosas. Não se está completamente sozinho quando há uma festa barulhenta no terreno ao lado, ou quando há motos estrepitosas cortando as avenidas ao redor, gritos retumbantes no estádio que atravessam quarteirões inteiros em busca de tímpanos que não encontram paz em lugar nenhum. É preciso ir para bem longe — uma montanha, um mosteiro, uma praia deserta, o meio do oceano. É preciso desgarrar, é preciso fugir.

Sei muito bem que estou longe de estar sozinho em meu gosto pela solidão e pelo silêncio. Somos muitos, e um dia seremos milhões. Se tudo der certo para nós, jamais precisaremos nos unir para que ouçam nossas demandas sussurrantes. Por agora, deixo que as ruas vazias, as lojas fechadas e as boates às moscas falem de mim e por mim. Como em Mozart e Tool: as pausas ainda valem mais que os acordes.

A sinédoque da soneca

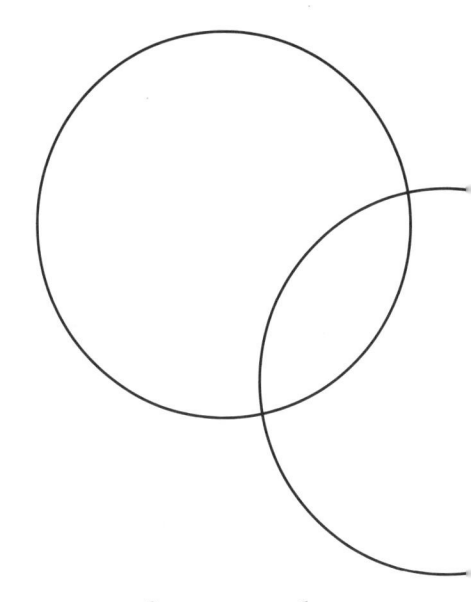

O cochilo exausto da tarde nos aproxima afetivamente da morte. Enquanto dormir à noite nos posiciona de forma alegórica diante do conceito de morte como fim de um ciclo, é no cansaço fora de hora que entendemos mais a morte como interrupção. Dormimos à tarde porque nos sentimos inaptos para o resto do dia. Esvaem-se as forças, nublam os raciocínios e tudo aquilo que reconhecemos como vida parece dar lugar a uma outra coisa, um vácuo vital que nos define em nossa própria exaustão.

Minhas funções corporais, durante um cochilo, são menos controláveis do que em um sono noturno programado. Ronco, babo, chuto e sugiro, em todo esse processo, estar mais cheio de vida quando puxo uma pestana. Mas não é nenhuma novidade que, para o observador que dependa de seus sentidos para realizar julgamentos, o agonizar e o viver se confundem. O tolo que se reduz à dicotomia se mexe, logo vive/não se mexe, logo não vive não entende que a mumificação do sono noturno é tão parte da vida quanto seu consequente despertar. A soneca nervosa, por outro lado, é acompanhada por um estrebuchar que se assemelha em muito às fagulhas de vida que escapam do corpo no derradeiro momento. A falência do corpo enquanto instrumento, o triunfo da massa complexa de tendões, ossos e músculos como mistério que encerra em si mesmo, irreversivelmente em direção ao aniquilamento. De repente, não é mais possível continuar.

O despertar, depois de ter sido forçado a um estado de letargia restauradora, esse sim pode ser chamado de vida? Tampouco. Não acordamos de um cochilo mais disposto do que quando nos dispusemos a cochilar. Continuamos grogues, moribundos, eximidos de energia, lutando para manter os olhos abertos e colocar o corpo sentado. É no despertar de uma *siesta* que a morte ganha seu prolongamento indefinido, sua distinção máxima na ordem das coisas. Continuamos mortos, para sempre mortos. Apenas após o despertar alguma noção de vida nos acomete. Imiscuídos com algo mais bem definido por Espinosa ou Bergson, retomamos a normalidade. Olhos abrem, a saliva dentro da boca, as dores das articulações nos deixam, e constatamos: foi só um sono maldormido. Passamos mais um dia sem nos depararmos com o sono mais maldormido de todos. Livramos a cara por enquanto.

Beber a própria solidão

O vinho é a solidão engarrafada. O quanto dele se sorve é o necessário metafísico para tomar ciência da condição explorada por Octávio Paz. O ser humano é o único ser que sabe que está, de fato, sozinho, dizia o ensaísta mexicano. Enquanto a cerveja é um fermentado tumultuoso — sem corpo definido, preenchedor dos espaços internos, a ser consumido em larga quantidade —, o vinho é magro como a alma do solitário. Não é a facada flamejante da vodca ou a intoxicação inconsequente da tequila. É uma amálgama do vazio. Beber vinho é reafirmar a própria solidão.

Por essa razão, a confraternização regada a vinho é das mais sinceras e bonitas. A bebida que amortece os sentidos ao mesmo tempo em que eriça o paladar percorre o mesmo caminho que uma solidão sóbria traça no coração. Primeiro o assentamento, depois a euforia da autossuficiência e, por fim, a melancolia do dente azul, do olhar turvo e da imobilidade debilitante. Estamos juntos, mas sozinhos. Celebramos a vida sem nos distanciar daquilo que nos põe motor a andar pelo mundo. Festejamos incompletos, somos felizes sem idealizações, por mais fugidias que possam ser. Por isso é tão bom tomar um vinho com os amigos: sorrimos e bebemos nosso insolúvel afastamento. Cada corpo é um eremitério. Juntos, somos deserto.

 É, entretanto, no hábito de beber sozinho que o vinho encontra seu sentido. O ritual — a rolha sacada, a primeira taça, o líquido que dança como um dervixe, a garrafa que se esvazia — põe em transe e evidencia o corpo solitário. Quem bebe vinho sabe que nunca está, de fato, preenchendo o vazio existencial com álcool. Ao contrário, está cavando uma trincheira lá longe, para além do cânion que nos define. Por isso que é bom. Sentir-se só, abandonado ao movimento da taça e da garrafa, acomodar-se no tenro encosto da solidão é reafirmar que os problemas existem menos quando não há expectativa de deixar de ser sozinho. Como na lição que Kafka nos deixou, o sofrimento aplaina quando é aceito. A garrafa esvazia e, com ela, o medo da morte. Nada além de parte integrante da poeira cósmica do mundo. É preciso embriagar-se. Com o quê? Com vinho, poesia ou virtude, como quiserdes. Mas, de preferência, com o vinho, que, como os moralistas, nada promete, já dizia a poeta.

 Minha solidão é celebrada dessa maneira, um clichê urbano dos mais vulgares: a casa limpa, o abajur de pé como única iluminação, uma música calma tocando — *You must believe in spring*, disco póstumo do herói Bill Evans, de preferência, que nunca me canso de ouvir —, um livro, possivelmente, e uma garrafa de vinho que se finda ao longo da próxima hora e meia ou mais. Goles vagarosos, uma página que se vira, o piano meio jazzístico, meio clássico de Evans preenchendo o silêncio forçado em meio à poluição sonora da cidade. É batido, mas funciona sempre. Quando estou neste momento, esqueço de pertencer. Sobretudo, esqueço de querer pertencer. O vinho completa meu estar sozinho como uma bola de demolição completa um buraco em uma parede. Volto ao *Labirinto da solidão*, de Octávio Paz, já que o vinho e o poeta nunca mentem: "Mais vasta e profunda que o sentimento de inferioridade, porém, é a solidão. As duas atitudes não podem ser identificadas: sentir-se só não é sentir-se inferior, mas diferente. O sentimento de solidão, por outro lado, não é uma ilusão — como às vezes o de inferioridade —, mas um fato real: somos, de fato, diferentes. E, de fato, estamos sozinhos". De fato, estamos sozinhos.

Distância

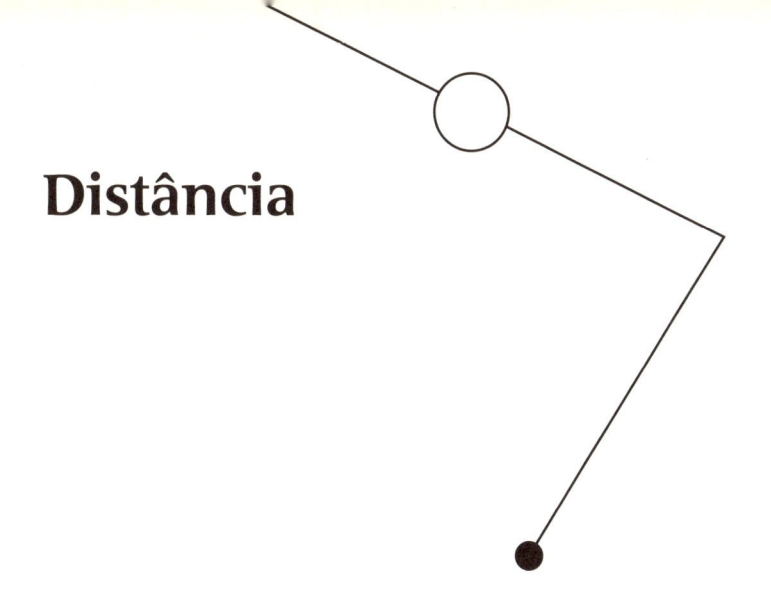

Família sempre foi um sinônimo de distância. Talvez por isso hoje eu seja distância também. Talvez por isso eu nunca me sinta longe em nenhuma parte do mundo em que possa estar. Longe é sempre aqui, e eu sou só distância. Por isso gosto de ficar sozinho. Por isso minha casa é pequena, e por isso prefiro ver um amigo de cada vez. Não tenho nenhuma foto na piscina, o churrasco com trinta pessoas, eu, uma cabeça entre tantos, escondido pela comunhão e pelo desejo coletivo de nos encontrarmos, de nos sentirmos bem-vindos uns aos outros. Gostaria de estar em uma foto dessas para sentir o que sentem as pessoas que se propõem a grandes confraternizações. O sentimento de que consigo ser sociável com trinta pessoas ao mesmo tempo. De que não odeio trinta pessoas ao mesmo tempo. De que não sou odiado por trinta pessoas ao mesmo tempo. Por isso invejo as famílias grandes, mas prefiro a minha pequena. Porque sei que família é distância. Porque sei que eu sou distância também.

As famílias não se amam, isso é uma ilusão minha. As famílias geralmente passam por cima das diferenças em nome da família, essa instituição sagrada que só faz sentido se permanecer unida. Mas a minha não. Isso faz da minha família mais honesta do que as outras? Isso faz da minha família uma não família? Minha família é pequena e distante. Eu estou ao sul. Sou o último membro da minha família no sul do mundo. Se passarem por mim rumo ao sul, não encontrarão mais ninguém com o mesmo sangue. Sou também o único que mora nessa região-exílio. Se eu precisar da minha família, preciso me deslocar pelo menos mil quilômetros. Mas quando é que se precisa da família? Alguém da minha família vai algum dia precisar de mim e se deslocar mil quilômetros pelo chão na direção sul do mundo? São os mais novos que precisam dos mais velhos? Eu não tenho filhos. Não terei filhos. Sou o último membro da minha família no sul do mundo e o último membro da minha linhagem. Se passarem pela minha morte, não encontrarão mais ninguém com o meu sangue. Ninguém virá de distâncias tremendas em minha busca. Ninguém precisa de mim.

Família sempre foi um sinônimo de distância. Por isso não sinto saudade. Por isso não choro em velórios. Por isso converso platitudes pelo telefone e pergunto cortesmente como estão as coisas. Por isso vou sozinho ao hospital quando preciso. Por isso guardo com carinho as amizades que tenho. Por isso gosto do sul, com sua gente fechada. Por isso não busco maneiras de contornar minha mortalidade. Por isso não acredito em Deus. Por isso eu também sou distância.

As crônicas desse livro foram publicadas entre abril de 2015 e fevereiro de 2019 no portal A Escotilha, onde mantenho uma coluna de crônicas semanais. As exceções são as inéditas *Natal na fazenda, O som do silêncio, Scheiße, Kurat, Quando eu era inferno, A sinédoque da soneca, Beber a própria solidão, Janela para o real* e *Distância*. Para esta edição, modifiquei alguns trechos e alguns títulos na intenção de corrigir para a palavra encadernada o que de estilo a pressa do prazo me roubou — nada que, acredito, tire a agilidade do gênero a que me propus escrever.

Agradeço, portanto, e em primeiro lugar, ao editor Paulo Camargo, que não só me educou na arte do jornalismo diário de cultura como também me concedeu o espaço em seu portal.

A Gustavo Faraon e Rodrigo Rosp, editores que acreditaram neste livro o bastante para si a empreitada, por trabalharem como artesãos cada aspecto deste livro.

A Rodrigo Casarin e Luís Henrique Pellanda, irmãos de letras e heróis particulares, pelas leituras generosas e por me municiarem com seus textos que fazem a árdua tarefa de convencimento do leitor.

A Guilherme Gontijo Flores, por me ajudar na tradução da epígrafe.

A Laís Galvão, pela cura e pela família que construímos ao sul dos trópicos.

A Carlos e Angela Alhanati, pela vida, pela morte e pelos livros.

A Cássio B. Somera e Lucas Lazzaretti, por me construírem um leitor crítico.

A Néle Queibre, por cuidar da parte negligenciada da minha vida e por não se irritar com os livros pelo chão.

A Murilo Ribas, pela verdade da solidão.

A Diego Mafra Salles, pela verdade da estrada.

LIVRARIA DUBLINENSE

A LOJA OFICIAL DA DUBLINENSE, NÃO EDITORA E TERCEIRO SELO

livraria.dublinense.com.br

Este livro foi composto em fonte ARNO PRO e impresso na gráfica PALLOTTI, em papel LUX CREAM 90g, em JUNHO de 2019.